나

는

당

신

이

생각하는

만큼

좋

은

사 람 이

아

닙

니

다

ㅂ ㅏ ㄹ ㅐ ㅁ

나는 당신이 생각하는 만큼 좋은 사람이 아닙니다.

발 행 | 2023년 1월 13일
저 자 | 바램
펴낸이 | 한건희
펴낸곳 | 주식회사 부크크
출판사등록 | 2014.07.15(제2014-16호)
주 소 | 서울특별시 금천구 가산디지털1로 119 SK트윈타워 A동 305호
전 화 | 1670-8316
이메일 | info@bookk.co.kr
블로그 | https://blog.naver.com/baraem44

ISBN | 979-11-410-1227-4

www.bookk.co.kr

띄우는 말

도덕책은 착한 사람이 되길 바랐다. 그래서 그 비슷하게 자랐다. 어느 날
고모가 말하시길 '요즘은 착하게만 살아서는 안 돼!' 그 말을 의심하며
자랐다. 그러다 '착한 여자콤플렉스'라는 이미지가 대두되었다.

어느 참에 나는 착해지려고 애쓰는 사람. 타인에게 잘 보이려는 사람.
소심한 사람. 착한 여자콤플렉스에 걸린 사람이 되어있었다.

쿨내나는 누군가의 삶 앞에 착함은 가식이 되었다. 그때부터 나를 덮을
그럴싸한 가면을 사용했다. 편리했지만, 돌아오는 길 눈가의 마스카라는
자리를 잃었다.

나는 착하지 않다.

단지, 상처받는 것도 상처 주는 것도 싫을 뿐이다. 때때로 선하고 때때로
악하다. 아이를 키우면서 내 안의 또 다른 나를 만나며 정확히 알았다.
나는 착한 게 아니라 함께 행복해지고 싶어 노력하고 있다는 것을_

마음이 마음을 속이는 짓보다

마음이 마음을 녹이는 일이 더 흥미롭다.

좋은 사람이 잘 사는 세상을 끝없이 바란다.

"요즘은 좋은 사람이 잘 사는 세상이야!"

<< 목 차 >>

띄우는 글_ 03

1부

내 삶에 들이고 싶지 않았던_

그때 그 아인 _08   내 가족이 아니라 가능한_ 14 〈반(지하)철〉_ 17
바다 + ㄱ_ 20   일기_23   할 말이 많은 아이_ 25
외로움과 고독한 낮술_ 27   고독이라 쓰고_ 30   無 패_ 33
                                                              무

2부

괜찮다는 그 말을 믿어야만_

바람이 분다_ 36   그 남자, 그 여자_ 40
어미 울음_ 45   불길_ 46   겁으로 지은 집_ 48
괜찮다는_ 49   효도는 셀프_ 51

3부

말없는 눈빛으로 걷는 길

붉은 밤_ 57   진실보다 짙은 진심_ 60   줄_ 61

우리가 없던 시간_ 64   네게 좋아보였던 행복_ 68

서툰 침묵_ 70   태우지 않은 편지_ 72   것들_ 76

사고_ 78   관심_ 80   마디점프_ 82   없다_ 83

4부

소리죽인 것들의 외침

예고없던 비_ 85   불멍_ 89   파문_ 92   소문_ 94

괜찮냐는 95   숨 97   십자가 수만큼_ 98

잿빛_ 101   무엇이 되는 것만이_ 105

이기적인 나무_ 108

5부

쓴 맛나던 세상이 쓰다보니

멀미_ 112   소(우)주_ 114   좋은 사람이 잘 사는 세상_116

쏟아내다_ 120   Give(기부)_ 122   시간_ 123

누구를 위해 누군가_ 125   쓰다_ 128   쓰다보니_ 130

6부

나는 당신이 생각하는 만큼

난독_ 133   막장_ 135   못이긴 척_ 137   초대장_ 140

Na_ 143   고삐_ 144   지금이_딱 148   개천_ 151

안녕_ 152   플라잉_ 153

나는 당신이 생각하는 만큼 좋은 사람이 아닙니다 155

나 섬_ 157

Play list_ 159

1부

내 삶에 들이고 싶지 않았던 —

그때 그 아인

진호는 소년원 출신이었다.

그 아이를 만난 건 이십 대 초반 대형 프랜차이즈 식당에서 새벽일을 했을 때다. 새벽 근무자는 진호가 있는 주방 2명, 내가 일하던 홀 서빙 3명과 주차관리 1명이었다. 북적였던 저녁 장사는 밤 11시가 지나면 잠잠해졌다.

'야!'

새벽, 잠을 깨려 세수하는 내 뒤에 누군가 갑자기 나타나 소리를 질렀다. 180cm 족히 넘었으리라. 작은 얼굴에 적당히 차갑게 생긴 얼굴. 건들거리는 걸음걸이. 진호였다.

주방에서 일하는 진호는 이따금 칼을 들고 장난을 쳤다.
장난이라고 기억될 만큼 나에게는 위협으로 느껴지지 않았다.

'너 방금 쫄았지?'

그 아이는 히죽이며 물었다.

'아니! 미쳤냐?'
나는 마른 표정으로 답했다.
늘 무언가 확인하려던 아이와 무서울 게 없던 두 아이였다. 그 아이가

소년원 출신이라는 소문을 누구에게 들었는지 모른다. 그냥 처음부터

그 아이는 소년원 출신이었다.

새벽 근무자에겐 한가한 시간이 많은 만큼 술에 취해 진상 부리는
이들도 많았다. 섬에서 나고 자라 도시 생활이 생소했던 내겐 낯선
세계였다. 나는 그곳에서 철저히 아르바이트생으로만 존재하고 싶었다.

새벽 5시_

일을 마치고 버스를 기다리다 근처 해장국집에서 달큰한 소주 한
잔으로 노동의 끝을 달래곤 했다. 그 한 잔은 또 한번 내일을 만들어
냈다.

해장국집을 나와서 버스를 기다렸다.
"나 서울대 다니는 여자 친구 있었다.
내가 아니라 걔가 먼저 만나자고 한 거야"
뜬금없는 말이었다.
그 아이는 자신이 만났던 여자 친구 이야기를 잠시 했다. 자기
같은 사람을 좋아하는 것을 이상하게 여김과 동시에 누군가 좋아해
줄 만큼 나쁜 놈은 아니라는 말로 들렸다.

또 다른 어느 날, 같은 버스정류장에서다.
'저기 차비가 부족해서 그러는데 천 원만 빌려주세요~'
버스 정류장이나 지하철에서 종종 만나던 돈 빌리는 사람이었다.

서울 초년생인 내게도 그는 진짜 버스값이 아닌 '돈벌이'로 보였다.
몇 번 비슷한 경험이 있었던 나는 안 들리는 척 휴대폰만 들여다봤다.

"그렇게 살지 마요!! 젊은 사람이 일해야지~!!'

진호였다.

딱 봐도 우리보다 나이가 있어 보이는데 말까지 놓았다. 그 말과
동시에 진호는 지갑에서 지폐를 꺼내 건넸다. 그분은 돈을 받아 들고
'네... 네... 감사합니다.'라는 인사와 함께 사라졌다. 진호는 으쓱하지
않았고 나는 눈으로 '제법인데?' 하는 표정을 지어 보였다.

내가 기억하는 그 아이 이야기는 여기까지다.
신기하게도 진호와의 대화는 기억이 나질 않는다.

떠오르는 건 버스정류장에서의 모습과 무섭게 하면서 무섭지
않기를 바라던 표정뿐이다.

—

20년 전 기억이 짠 내 나설까?
연거푸 마셔댄 물로 점점 옅어져 갔다. 그런데도 가끔 그 아이가
떠오른다.

무서워하는 모습을 보이면 안 될 것 같았던 그 아이가_

무서워하면 무서운 얼굴과 슬픈 얼굴을 할 것 같은 그 아이가_
그런 그 아이가 무섭지 않던 그 시절의 내가_

몇 개월 같은 시간 일했지만 많은 대화를 나누지 않았다. 어쩌면
그 아이는 버스정류장에서 만난 사람에게 했던 것처럼 내게도 강해지길
바라는 말들을 했을 것이다. 그리고 누군가 자기 삶에 호기심이 아닌
묻지 않고 지갑에서 꺼내 건네진 지폐처럼 진심이길 바랐을지도 모른다.

그 아이는 어느 날 말도 없이 일을 나오지 않았다. 무슨 사고를
쳤을 거라는 사람들의 말이 며칠 떠돌았지만 금세 그 말도 그 아이와
함께 잊혔다.

나는 끝내 묻지 못했다.
정말 소년원을 다녀왔는지, 무슨 이유였는지...

나는 끝내 연락하지 않았다.
왜 나오지 않는지, 무슨 일이 있는지...

분명 물어봤어도 이상할 리 없었건만 아무것도 하지 않은 채 잊고
살았다. 시간이 지나고 조금은 더 여문 어른 나이가 되었을 때 알게
되었다.

나 하나로도 벅차 그 아이를 내 인생에 넣고 싶지 않았음을.

나를 더 가볍게 해줄 사람을 원했고, 그래서 나보다 무거운 질량을 가진 사람을 붙잡지 않았다.

누군가에게 따듯한 쉼이 되어주고 싶다는 나는 사람을 가리고 있었다. 오만한 꿈을 입 밖으로 내지 않은 건, 내가 외면했던 어떤 이들의 눈빛 때문일지도 모른다. 나는 그 아이에게 내내 미안했던 거다. 한 번쯤은 물어봐 주었어야 했을 이야기에 대해.

그 아이가 가끔 떠오르는 건_

자신을 더 흠집 내며 누군가 알아봐 주고 믿어주길 바라던, 거부와 동시에 희망하던 간절한 눈빛을 이제야 이해할 수 있어서일까? 그 이해는 완벽할까? 완벽이라는 게 있을까?

사람이 사람을 이해하고 그들의 이야기를 듣는다는 건 축복이다. 더운 여름 그사이를 비집고 살며시 불어 준 바람을 느끼며 축복 안에서 잡지 않고 지나온 손들이 떠올랐다.

—

몇 해 전 작은 도서관에서 만난 선생님께 물었다.
'세상이 이렇게 무서워서 어떡해요...

사람들을 도울 방법이 없는 걸까요?'

선생님은 온기 담은 미소로

'그래서 도서관이 있는 거예요. 이곳을 찾은 사람들 마음이 편해져서 돌아가면 가정이 편해지고, 그러다 보면 지역사회가 밝아지게 돼요. 우리는 이곳에서 우리가 해야 할 일을 하면 돼요.'

무엇을 하는 게 아니라 그저 묵묵히 그 공간을 내어주고, 느낄 수 있도록 한다. 그 마음들이 빛을 밝히고 공간을 나선다. 그 빛은 전해지고 전해진다.

그 빛이 그 아이에게도 전해졌기를 바란다.

내 가족이 아니라 가능한 이야기_

몇 해 전 재활요양병원에서 벌어진 일이다.

"윽! 어서 병동에 콜해요!"

재활 운동을 끝낸 할머니 한 분이 바지에 변을 보셨다.
펑퍼짐한 환자복 사이로 변이 흘러내리는 동안, 주변 사람들은
멀리 흩어졌고, 병동으로 전화하는 소리만 울렸다.

"여사님! 할머니가 변을 봤어요. 빨리 내려와 주세요!"

간병인을 호출했지만, 기다리는 동안 가만히 있을 수만은 없었다.
나는 비닐장갑을 끼고, 휴지를 최대한 돌돌 말아 쥐었다. 그런데도
선뜻 팔을 뻗을 수 없어 잠시 주춤거렸다. 곁에 선 사람들의 시선이
느껴지자 그제야 뻣뻣한 팔을 뻗어 변을 처리했다. 찜찜함이 온몸을
타고 흐르는 동안, 지켜보던 사람들이 엄지손가락을 척 들어 올렸다.

치매까지 앓고 있는 할머니는 수치심을 느끼지 못했을 수 있지만,
내가 본 할머니의 눈엔 두려움이 가득했다. 그 눈이 나를 움직이게
했다.

—

결혼 후 아이를 낳아 키우면서 모든 변이 더럽지만은 않다는 걸
알게 되었다. 아들이 변비로 고생하자 항문이 찢기지 않도록 맨손으로
항문을 마사지했다. 아이가 변을 잘 보는 날이면 내 속까지 편해졌다.

웬만한 사람은 다 아이들을 사랑하고
특히 제 자식은 똥도 예뻐한다.
그러나 제 부모가 어린애가 되어버린 걸
감당할 수 있는 사람은 흔치 않다.

똥이라도 싸게 되면 그 노인이
자신의 똥까지 예뻐하면서 길러준
부모라는 걸 부정하고 싶도록 정이 떨어진다.
그야말로 부모 자식 간의
최악의 파국이다.

그런 죽음은 육신의 고통을
모면할 수 있다고 해도
육신의 고통과 바꾸고 싶지 않을 만큼
그게 훨씬 더 무섭다.

〈모래알만 한 진실이라도 중〉

박완서 작가의 '모래알만 한 진실이라도'에서 만난 글귀다. 나는 이 페이지에서 고개를 들지 못했다. 그날 비닐장갑을 끼고 그 일을 마무리할 수 있었던 것은 할머니가 내 가족이 아니었기 때문이다.

부모님 나이가 늘어난 만큼 나를 필요로 하는 날도 늘어났다. 나는 내 아이 키우기 바빠 부모님이 버거워졌다. 책 속에 쓰인 내 마음에 흠칫 놀랐다가, 작가도 나와 같은 마음이셨구나 싶어 안도했다. 동시에 죄스러운 마음에 가슴부터 울음을 터트렸다.

—

책은 부모를 버거워하는 나를 꾸짖지 않았다. 내가 가진 마음을 눈앞에 보여줬고, 스스로 울게 했다.

책을 통해 내 안에 있는 모래알만 한 진실들을 꺼내고서야, 가족을 향한 버거움에 타인에게만 친절했던 나를 돌아보게 되었다. 불편한 진실을 마주한 후, 비로소 솔직한 마음이 싹을 틔운다.

〈반(지하)철〉

어둠을 달린다.
칸칸이 서 있는 이들의 모습이 모여들었다.

어둠을 달린다.
마주보진 못해도 어둠 속 창에 비친 모습은 마주했다.

눈이 부신다.
눈을 한번 감고 떠보니
창에 비치던 이들의 모습이 사라졌다.
수없이 되풀이된다.

또다시 그들의 모습을 마주하고 외면한다.
—

갈 곳이 있다.

혹은 갈 곳을 찾는 중일지도 모르겠다.

가고 싶은 곳을 향한 여정은
오르고 넘어 깎아 만든 길 위에 올라타는 것이었다.

그 길에서 만난다.
산을 뚫고, 어딘지 모를 지하를 파고 들어가 만들어진 길과
그 안에 함께하는 이들의 모습을.

반 지 하
지 하 철
에서 마주하는 건 낯선 내 모습과
마냥 행복해 보였던 이들의 침묵이었다.

덜컹임에 익숙해져 손잡이를 잡지 않고 버텨낸 다리와
어스름 빛에 익숙해져 어둠 속을 짚지 않고 걸어가는 걸음은
쉬 얻어지는 게 아니었다.

저 앞에 터널이다.
또다시 창을 통해 만난다.
공허한 눈빛들이 창에 모여들었다.

터널을 나왔다.

공허한 눈빛들이 흩어진 자리에
고요한 빛이 창을 뚫고 들어와 앉는다.

그렇게 우리는 어디론가 가는 중이다.

함께인 줄도 모르고

혼자인 채로_

바다 + ㄱ

바닥을 보이는데도
부끄러워하지 않는다.

바닥을 봤는데도
미워지지 않는다.

그 바닥에 걸어 들어가
그 안에 담긴 것을 보게 된다.
바닥에도 얻어 올 것이 있었다.

어느 바닥에 올라서니 발이 빠졌다.
바닥이라고 다 같은 바닥은 아니다.

바닥에 오래 머물까 걱정이 되던지
찰박찰박 바닥에 남은 물이 나를 재촉했다.

꺼져

물 들어올 시간이야
그 바닥에 나마저 빠져 버릴까
다급한 모양이다.

—

바다의 바닥은
부끄럽지 않게 바닥을 드러낸다.

다시 물이 차오를 거라는 믿음으로
바닥에서 생명을 끌어 올린다.

바다의 바닥은
믿음의 바다다.

모든 건 왔다 가고,
차고 비워진다는 진리의 바닥

'이 바닥이 다 그렇지...'

맞아

이 바닥은 다 그래
바닥을 보였는데도
곁에 있는 이를 위해 결국
만조에 이르지

그래서
나는 또 그 바닥을
보고 싶어 바다로 가_

일기

읽기'에서 '기억'을 빼니 '일기'가 된다.

내가 쓰던 일기는 어느 순간부터 기억만 찾고 있다.

기억하고 싶은 건 그 순간의 좋고 싫음일 테지만, 내가 찾고 싶은 건 그 후의 나는 어떠했는가에 관해서다.

그 후의 나는 마지막 장이 끝나 덮어버린 책이 되고 싶지 않았다. 해피엔딩으로 가기 위해 우기고 우겨 페이지를 늘려보지만, 그마저도 인위적이라 맛이 없었다.

이래 놓고선 '읽기'에서 뺀 게 '기역'이 아니라 '기억'이라고 뻔뻔하게 우긴다. 헛소리라며 손사래를 쳐보지만, 세상 진지한 소리다.

—

손을 놓는다.

손을 놓는다는 게 쥐고 있던 것을 놓는 거라면 나는 최근 무엇을 놓고 있었을까?

그건 내가 기록이라고 생각하며 열심이었던 SNS다. 뭐 그렇게 열심이었나

싶지만, 꽤나 진심이었고, 그 기록이 내 시간을 헛되지 않게 하는
것 같아 놓는 게 두렵기도 했다.

—

모래를 쥐어 올리고 흘러내린다. 잡으려면 담아야 했다. 알알이 건조한
녀석들은 매정하게 손안에 남지 않았다. 빠져나간 헛헛함에 찔끔 새어
나온 눈물을 닦은 손으로 바닥을 짚고 일어서니 그제야 눈물 자국만큼
따라붙었다. 손에 붙은 모래알들을 보자니 녀석들도 촉촉한 누군가를
기다렸구나 싶다.

메말랐던 표정_

마음에 물이 차오르면 그제야 뭉쳐지는 서걱거리는 것들의 만남.
흩어진 모래알은 그렇게 물기를 만나 모래성을 만들어간다.

눈물짓는 내 얼굴에 날아와 붙은 먼지들이
눈물길을 보여주던 어린 시절,
때 구정물 줄줄 흐르던 울음을 다시 불러본다.
불러온 울음에 기억을 다시 넣고 읽기를 시작한다.

일

기

는 나를 읽는 초판본이었다.

할 말이 많은 아이

'나는 저 아이의 마음을 잘 알아요.'

턱을 목 가까이 당긴 채 눈만 살짝 올려다본다. 미소 지어보지만,
입가에 머문 미소는 땅을 향해 관심 있는 이가 아니라면 아이가
웃는지 알 수 없다.

낯선 곳에 낯설게 자리한다.
눈을 감고 노래를 부르자 한다.
눈을 감는다.
아무것도 보이지 않는다.
목 가까이 당겨졌던 턱을 들어 하늘을 향해 노래한다.
아무도 없다.
소리 죽인 목소리가 하늘의 것인 듯 퍼져나간다.

누군가 가만히 다가와 말한다.

'네 안에 할 말이 많구나.'

황급히 턱을 당겨 눈을 뜬다.
말을 건넨 이가 자리를 뜬 후다.

낯선 곳, 낯설게 자리했던 아이가 걸어 돌아간다.
익숙하고 낯선 곳으로_
아득한 상상을 지어 잠든다.

저 아이의 마음을 안다.
말없이 바라본다.

안다는 건 볼 수 있다는 것이었다.

외로움과 고독한 낮술

스물여섯에 시작한 병원에서의 직장생활이 스물일곱에 접어들었을 때다. 낮에는 친절로, 밤에는 쓸쓸함을 술로 재우던 날들이었다. 이유를 나열하자면 무수했을 테지만 당시엔 이유를 찾으려 하기보단 기댈 곳을 찾기 바빴다.

앞에선 해님처럼 뜨겁다가 뒤돌아서는 달처럼 차가워졌다. 뜨겁게 친절했을 시간에 만난 환자분이 있었다. 소녀 같은 미소를 가진 그녀는 늘 조용히 치료만 받고 되돌아갔다. 그러다 어느 순간 뜨끈한 콩나물국밥 앞에 '우리'라는 이름으로 소주 한 병을 두고 마주 앉았다. 뜨거운 국물이 속을 데우고 차가운 소주가 속을 식혔다. 우리가 나눈 대화는 공허하게 피어오르다 소리 없이 사라지는 국밥에 피어오르는 뜨거운 김이었다.

그녀와 나는 스무 살 넘게 차이가 났다. 마주 보며 어이없어 웃다가 멋쩍어 잔을 부딪쳤다. 그렇게 쉰 살의 소녀와 친구가 되었다. 그녀는 나와 나이가 비슷해 보이는 아들에게 나를 친구라고 소개했다. 해맑은 그녀의 목소리가 아들에게 닿았고, 아들은 그런 그녀를 애틋하게 바라보았다. 자신의 엄마가 또래 여자아이와 친구가 되어 밥 먹고 술 마시는 게 어이없었을 법도 한데, 아들은 매번 가벼운 목례로 알 수 없는 마음을 표했다. 쉰 살의 소녀와 스물일곱 소녀는 가족에게 인정받은 친구 사이가 된 거라 믿었다.

우리는 포장되지 않은 표정으로 많은 이야기를 나눴다.

—

어느 날부터 쉰 살 소녀를 더 이상 만날 수 없었다. 어떤 이유인지도 모른 채 나는 제 나이로 돌아왔다. 뜨거운 콩나물국밥으로 해장하면서 모락모락 피어나는 김이 오르면, 그 너머에 앉아있던 고요한 친구를 그리워했다. 내 나이 마흔을 넘어서자 잊고 있던 그 시절 쉰 살 소녀가 다시 떠올랐다.

—

서른쯤 처음으로 '나는 외롭다'라고 일기를 쓰고서야 막힌 숨이 터져 나왔다. 마흔 너머 '나는 고독이 좋다.' 말하고선 때때로 침잠하는 나를 비로소 이해할 수 있었다. 그리고 그날의 우리가 앉은자리에 함께 했던 것들이 무엇인지 알고선 뜨끈해졌다.

쉰 살 소녀는 고독했고, 스물일곱 소녀는 외로웠다.
외로움과 고독이 앉아 마신 낮술 한잔에 취해 불러들인 이야기들.
바란다.

쉰 살 소녀가 여전히 소녀로 살아가기를_
아들의 애틋한 눈빛을 받고 있지 있기를_
고독과 어엿한 벗이 되어 고요한 미소가 마르지 않았기를_

그

렇

기

를

.

고독이라 쓰고

혼자인 게 두려워 수많은 사람 안에 들어서고야 안도감을 느끼던 소년은 홀로 외로운 것보다 다수 안에 외롭기를 택했다. 사람들 틈에 온전해 보이던 소년의 얼굴에 미소가 어리지만, 제 것이 아닌 양 어색하다.

홀로 서 있어도 위태로워 보이지 않기를 바라지만, 사방에서 불어오는 바람에 제 몸 하나 가누기 버거워 이내 몸을 낮춘다. 욕이라도 시원하게 내뱉어도 들을 이 없건만 그마저도 꿀꺽 삼킨다.

병신_

어른이 되고 싶다던 소년은 그럴싸한 가면을 사 들고 사회로 들어섰다. 여덟 개의 이가 드러난 미소로 군중과 어우러진다.

제법이다.

더 이상 춥지 않다던 소년은 제 심장이 몇 도인 줄도 모르면서 소주 도수나 외고 있다. 사람들 있는 곳이라면 어디든 함께 따라 웃고, 먹고, 마신다.

오늘이 내일인 오늘을 산다.

술에 취한 밤, 버스에 오른다.
흔들리지 않으려 힘을 줄수록 세상이 휘청인다. 에라 모르겠다.
몸을 의자에 집어 던지고 기댄다는 게 고작 버스 유리창이다.

아스팔트로 잘 닦인 길.

밤 버스는 거칠게 내달렸고, 소년은 창에 헤드뱅잉 하다 그만
가면이 벗겨졌다.

그리고 창을 통해 보고 만다.
자신을 바라보는 소년의 식어버린 눈빛_

'너는 누구고, 나는 누구지?'

혼자인데 혼자가 아닌 소년은 창에 드리운 소년을 향해 비틀린 웃음을
지어 보인다. 따라 웃는 소년이 애달파 눈물까지 흘러내린다.

가관이다.

멋쩍은 듯 고개 숙여 눈을 비비고, 창에서 눈을 떼 앞만 본다.
하지만 자꾸만 보고 싶어져 소년은 다음 정류장에서 다급히 뛰어내린다.

밤은 깊고, 사람은 없다.

추위가 밀려와 빨라진 걸음은 이내 달리기로 바뀌고, 술까지 먹은 터라 소년의 심장이 터질까 걱정이다. 숨이 다할 때까지 뛰고서야 추위가 물러서고, 살려고 숨을 고르는 심장 소리만이 그와 함께한다.

소년은 살겠다고 애쓰는 심장 소리에 웃음이 터지고 만다. 적당한 곳에 대자로 뻗고 나니 또다시 추위가 다가온다. 그 틈을 놓치지 않고 말을 걸어오는 녀석이 있다.

소년의 몸 안에서 울리는 소리다.

'너 뭐하냐?'

고른 숨을 뱉으며 소년이 몸을 일으킨다. 집으로 돌아가는 소년의 등을 토닥이는 목소리가 보인다.

—

누구나 외로움이 말을 걸어오는 순간을 만난다.
혼자서는 못 견딜 것 같던 외로움은 소년이 자신을 바라본 순간 고독으로 자랐다. 고독은 생을 사는 동안 만나야 할 벗이었다.
고독을 벗으로 하는 순간 어른의 문턱을 넘는 건지도 모르겠다.

혼자 서 있어도 외로워 보이지 않은 이가 있다면 고독과 어깨동무 중일지도_

無 패
무

내가 가진 패를 하나 펼치고
가만히 너를 응시한다.
너는 아무 말 없다.

내가 가진 두 번째 패를 하나 펼치고
조용히 너를 바라본다.
너도 가만히 마주 본다.

내가 가진 세 번째 패를 하나 펼치고
너를 응시하는 눈에 힘을 준다.
너는 소리 없이 일어선다.

내가 가진 네 번째 패를 하나 펼치다
너에게 소리쳤다.

'내 패를 네 개나 보고 그냥 가는 게 어딨어?'
너는 돌아서던 몸을 멈춰 서
한참을 바라본다.

한참을...
그리고 마저 돌지 못한 몸을 틀어

저만치 걸어간다.

...

하아_
너에겐 패가 없었다.

주머니 안에 엉킨 조각들을
꺼낼 수 없어
나를 보고만 있었던 너다.

꺼내지 못한 너의 마음에 나는 무슨 짓을 한 건가
나를 보는 너의 눈을 읽지 않고
내가 꺼낸 패를 보며 진실하다 우기고 있었다.

네 개의 패가 비루한 몸을 뒤틀어
바람에 날려간다.
나의 부끄러움도 데려가 주련_

2부

괜찮다는 그 말을 믿어야만 —

바람이 분다

바람

—

내게 '바람'은 곧 '불륜'이었다.

가정을 지키려는 한 사람을 두고 혼자만의 감정에 몸을 실은 채
무책임하게 떠나버린 자. 불륜이 구체적인 사실이 되면 집 안에 있는
모든 것들이 날아간다. 그 안에 거센 바람을 피해 안전할 사람은 없다.
화창한 날 집안에 태풍이 지나간 자리를 보며, 왜 불륜을 바람이라
칭했는지 알게 되었다. 태풍의 영향권에 든 게 아닐까 착각할 정도로
먹구름은 쉽사리 내 집 위를 떠나지 못했다. 집은 여름이 지나도
눅눅함을 벗질 못하고, 낮과 밤 말고는 그 어떤 계절도 들이지 않았다.
그렇게 여러 계절이 집을 비껴갔다.

지긋한 대문이 박살 나던 스무 살이 되던 해.

대학 진학을 핑계로 단출한 가방 하나 들고 그곳을 떠나왔다.
해방감과 죄책감이 가방 지퍼 손잡이에 매달린 채 속없이 달랑거렸다.
외로운 타지 생활이 떠나온 집보다 힘들게 여겨지지 않아 더 쓰린

날들이었다.

'바람'이라는 단어를 피해 다녔다. 바람이 좋은 날을 공기가 좋은 날이라 돌려 말했고, 거센 비바람이 창을 두드리는 날이면 급히 잠을 청했다.

내 안에 '바람'의 피가 흐를까 두려웠다. 이 마음을 고백했던 어느 모임에서 한 여자분이 나를 보며 서럽게 울었다.

사정은 이랬다.

시아버님이 바람을 피워 남편 역시 그럴까 무서워하다 우울증에 걸려 약을 먹는 중이라고 했다. 내 두려움이 상대에게 다른 두려움이 된다는 걸 확인한 순간 내 안에 있던 물기가 순식간에 말랐다. 아빠에 이어 오빠에게까지 바람이 불었던 핏줄의 역사가 내게도 이어질까 두려웠던 마음이 모습을 드러냈다. 그 자리를 박차고 남편에게 달려가 '당신도 나를 보며 걱정되느냐?' 묻고 싶었지만, 친정의 욕을 내보이면, 그가 나와 친정 식구들을 하찮게 여길까 봐 아무 말 없이 등 뒤에 안겨 눈물을 삭혔다.

—

오늘도 어김없이 바람이 분다.
이 바람은 어떤 의미를 가진 단어일까?

결혼 후 10년 동안 바람이 부는 날이면 나를 지워내 버릴 것 같은 바람에 찰과상을 입었다. 불어오는 바람에 엉킨 머리칼은 매듭이 되어 쉽사리 풀리지 않았다. 들러붙은 껌을 잘라내듯 끊어내고 싶은 기억에 뿌리를 두고 자라는 나를 도려내기로 했던

어느 날,

남편과 친한 지인을 만난 자리였다. 잔잔한 일상 이야기 사이로 내게도 질문이 흘러들었다. 오빠가 셋이나 되면 예쁨 받고 자랐을 거라 여기며 물었다. 그날도 그랬을 뿐이다.

"오빠들은 뭐해?"

머릿속에 오빠들의 근황을 떠올려보다 불쑥 내뱉었다.

"바람의 자식이라 그런지 이혼하고 혼자 살아요."
잠깐의 정적 안에 당혹감이 쌓여갔다.
"뭘 또 그렇게 말해~"
라며 걱정스러운 목소리로 말을 건네는 지인에게

"사실을 말하지 않으면 자꾸 둘러대게 되는데...
그게 더 힘들어요..."

.

.

숨기는 게 많으면 내보일 게 없다는 것을, 한번 둘러댄 거짓이 진실을 더 아프고 악하게 만든다는 것을 답한 후 알게 되었다.

나를 어떻게 생각할까 두려워 감춘 이야기들이 나를 공격하고 그 미움을 더 키워가고 있었다. 그 이후 나는 누군가 묻는다면 점심 메뉴 말하듯 심플하게 답한다. 잠시 불편한 기류가 흐르지만 그건 그저 남의 이야기일 뿐이고, 내 이야기는 예기치 않게 그의 이야기를 끌어내는 마법을 부렸다.

바람이 다른 의미를 털어내고서야 나를 스치는 모든 바람을 오롯이 느끼게 되었다. 바람이 일깨우는 사물들의 소리를 듣고, 온도를 달리 한 바람과 어우러지는 옷을 입고 함께 걷게 되었다.

사실을 말한다는 건_

수많은 거짓과 도피를 끌어안는 일이었다. 더 이상 거짓되지 않아도 되었고, 피하려 먼 길을 돌아가지 않아도 됐다.

여전히 끌어내야 할 사실들이 많지만 구태여 헤집을 필요가 있을까? '바람'을 좋아하게 되면서 내 안에 있던 다른 의미의 '바람'이 불어 나왔듯 자연스럽게. 그렇게 새어 나오는 나를 만날 준비가 되었다는 사실. 그 하나만으로도 나는 꽤 가벼워졌다.

—

바람이 분다.
너를 느낄 수 있는 나는
이제야
두 팔 벌려 네게 안긴다.

그 남자, 그 여자

그

여

자

여자는 딸에게 자신의 이야기를 전했다. 딸은 우주였던 여자의
이야기를 듣고는 있지만 자신의 우주가 위태롭다는 걸 감지하지
못했다. 여자 인생을 힘들게 한 남자는 철저히 악인이 되어야
했다.

여자는 장남에게 시집와 시부모님과 시동생들을 키워냈다.
시골에서 꽤 똑똑했던 여자는 초등학교만 졸업해 배움에 대한 갈증이
짙었다. 여자에겐 3남 1녀가 있었다. 첫째가 잘 풀려야 줄줄이 동생들을
거둘 거로 생각하던 시대였다. 여자는 아등바등 일했고, 학비 마련을
위해 1년에 몇 달씩 육지로 장사를 나갔다. 공부 머리가 없는 자식들은
여자의 희생으로 알려지지 않은 대학에 라도 들어갔다. 원치 않은

배움들은 훗날 원망으로 퇴색되어버렸다.

언제든 풀리지 않은 인생은 원망의 대상이 필요했다. 그 대상은 자식의 허물을 받아들이는데 익숙한 여자의 몫이었다. 여자가 그토록 원하는 공부를 시켜 대학을 보냈으나 삶의 흐름은 원하는 방향으로만 흐르지 않았다. 가족을 한데 모을 거로 생각했던 물길은 늪을 향했고, 제각각 발이 빠져 질펀하게 침잠했다.

그

남

자

그 시절 드문 연애 결혼이었다. 시골에서 유독 눈에 띄는 180 키에 맑은 피부였다. 농사를 짓는 게 어색해 보였으나, 다른 아빠보다 멋져 보인 덕에 딸은 남자를 선망했다. 3남 1녀 중 막내인 딸이 태어나던 새벽. 남자는 옆집 문을 두드리며 딸이 태어났다고 자랑했단다. 아들들에겐 무서웠지만, 막내딸에겐 등을 굽혀 말을 태워줬고, 들에서 돌아오는 길엔 힘들어하는 어린 딸을 지게에 지워주었다.

타인의 시선을 많이 의식하던 남자가 딸을 때린 적이 있다. 딸이 앞을 못 보는 할머니 집을 찾아드리느라 학교에 늦어 결석하고, 집

근처에 숨어있다 마을 사람들에게 들켜서다. 내막을 알 리 없는 마을
사람들이 전해 준 이야기에 남자는 버릇을 바로잡는 아빠 노릇을 했다.
딸은 그렇게 마을 사람들이 보는 앞에서 처음 맞았다. 그 멈춤은
그만하라며 말리는 마을 사람들에 의해서였다. 사람들이 흩어지고서야
이유를 들었던 남자는 잠든 딸의 머리를 쓰다듬으며 떨리는 목소리로
말했다.

'사람들이 자식 잘 못 키운다고 할까 봐...'

그 소리를 듣지 못했다면 딸은 평생 남자를 이해하려 들지 않았을
것이다. 방식은 옳지 않았지만, 시대에 맞춰진 아비의 사랑이었다.

남자는 한량이었다.

공부에 재능 없는 자식들을 가르치려 돈을 벌고 일을 계속 시키려는
여자가 못마땅했다. 여자는 자식 일이라면 자신을 버려서라도 뭐든
할 기세였고, 남자는 그들만의 인생을 꿈꿨다.

송충이는 솔잎을 먹어야 한다며 여자의 끝없는 일을 타박했다.
그렇게 서로 다른 생각들로 멀어졌다. 여자는 자식을 위한다는 마음
하나로 버텼고, 남자는 그런 여자에게 늘 무능해지는 게 싫었다.
자신만 나쁜 놈이 되어가는 게 못마땅해 그냥 나쁜 사람이 돼버렸다.

—

그 여자는 훗날 행복을 위해 현재를 희생했고, 그 남자는 현재

행복해지고 싶어 뜻을 함께하지 않는 여자에게서 몸과 마음을
챙겨 떠나버렸다.

그 사이 딸은 체험 삶의 현장에서 자란 셈이다.

그 덕에 지혜로 승화될 수 있는 데이터가 제법 쌓였다. 희생이 무기가
되어서는 안 되고, 배우자와 삶의 가치를 조율해야 했다. 여자가 자식들만
바라보고 있을 때, 남자는 한 번도 자신을 돌아봐 주지 않는 여자의
등만 쳐다보다 하늘을 보며 한숨짓는 일이 많아진다.

'자식을 낳았으면 책임을 져야지!' 모성애는 말했다.
'이만큼 키웠으면 알아서 하도록 해야지!' 부성애가 말했다.
그 여자의 희생과 그 남자의 하늘이 그려낸 그림은 '절규'였다.

남자의 한량 기질을 이어받아 무용한 것들을 사랑하는 딸.
남자도 얼마나 나부끼고 싶었을까.

—

오늘 딸이 여자에게 전화를 걸었다.

'엄마, 엄마는 뭘 제일 하고 싶어?'

'엄마는 하고 싶은 거 하고 있어~ 젊은 사람들 하고 모임을
하는데 좋은 데도 많이 다니고 있으니 걱정마~'

자신보다 열 살 적은 동생들이 즐기는 곳을 함께하며 여자는 행복해했다.

여전히 바다로 일을 나가지만 돈을 벌어 딸과 손주들에게 소고기를
부칠 생각에 흐뭇하다.

그 여자는 '다른 사람은 몰라도 나는 너한테 무슨 일 생기면 못 산다.'라며
제법 센 협박으로 딸의 안녕을 기원한다.

'엄마! 아빠는 뭘 제일 하고 싶은지 물어봐~'

'에이! 너희 아빠는 맨날 시내로 놀러 가서 잘 먹고 잘 놀아. 그런
거 없어!'

'엄마! 그렇게 말하지 마. 엄마는 나한테 하소연이라도 하는데
아빠는 그러지도 않잖아. 사람이 왜 하고 싶은 게 없겠어?'

딸은 여자와 같은 크기로 남자를 미워하지 않는다. 엄마는 자식에게
아빠 힘담하는 걸 주의해야 한다. 그 여자와 그 남자가 함께 만들어
나가는 생이여야 한다.

그 여자와 그 남자는 거친 폭풍우를 온몸으로 겪으며 지나왔다.

아직 그 여자 그 남자 이야기는 끝나지 않았다. 남겨진 그 길 위에서
그 여자, 그 남자는 그들만의 이야기를 만들어간다. 남들 보기에
재미없거나, 이해 안 가는 그런 이야기라 할지라도 우리 모두의
이야기는 이해와 위로, 응원이 필요하다.

〈나를 읽다 이제야 당신들을 읽어갑니다. 읽다 보니 매 순간순간을 쓰다듬게
됩니다. 그 여자, 그 남자 아래 고단했지만 잊고 있었습니다. 당신들의 이야기는
사랑과 전쟁이지만 제게 전해 준 이야기는 사랑이었다는 것을요. 〉

어미 울음

어미의 울음소리엔 톱날이 서려
입 밖으로 나오면
모든 걸 썰어버렸다.

어미의 울음소리를 피해
베개에 귀를 파묻고
뒤돌아보지 않고 도망친다.

어미의 울음소리는
내내 바람 타고
밤을 헤매다 얼어붙었다.

어미의 울음소리를
들어주는 곳은
어둡고 추운 곳뿐이었다.

불 길

불 길 (1)

꽃신을 신겨 데려가더니
불신을 신겨 놓으셨구려
꽃길을 걷게 한다더니
불길을 걷게 하는구려

.

.

.

엮고 보니 이 여인의 불길이 거세 다른 불길로 불러들인다

불 길 (2)

불길을 지나느라 데고 말았소
당신 손길이 닿지 않았으면 큰 흉이 되었을 것이오
불길을 지나다 남겨진 작은 흉에
당신 손길이 남아 내 감추지 않으려 하오
불길을 지나 살길을 만났지 뭐요
그 불길이 꽃길로 오는 길이었나 보오.

겁으로 지은 집

겁쟁이를 쓰려고 했다.
여러 번 써봐도 '겁' 다운 글씨가 써지질 않았다.
자꾸 '집'으로 보였다.

'집'에서 옆으로 삐져 나간 한 획이 딱 집 밖으로 밀려난 외로운
이의 뒷모습을 닮아 있었다.

'집'이 '겁'이 되어버린 이들은 그렇게 어딘가를 떠돌며 '집' 같은
사람을 갈구한다.

'집'이 되어주고 싶지만 '집'을 '겁'으로 배웠으니 겁부터 난다.

태어나 집을 찾지 못해, 짓지 못해, 길 위에 쓰러져 식어가는
고단한 마음들에 겨울이 내린다.

부디 그 위에 낙엽이 집 지어주길 바랄 뿐

나는 다시 돌아가지 않으려 내 길만 재촉한다.

괜찮다는_

괜찮다는 말을 믿겠습니다.
편하다는 말을 믿겠습니다.
그 말을 믿어야 살겠습니다.

생각을 하지 않겠습니다.
이 생각 많은 사람이
생각을 하지 않겠습니다.

그래야 살겠습니다.

흘러가야 하는 구름이
그림 안에 갇혀
흐르지 못하고 있습니다.

그 그림이 스스로 그려낸 그림이련만
이토록 미련합니다.
이 미련함 또한 사랑해 주시다니요.

이 속절없는 우물에
아이가 작은 모래알 하나를 던졌습니다.
'엄마! 엄마도 엄마가 보고 싶겠다.'

그 모래알이 바위마냥 무거워
우물 안에
파도가 일었습니다.

이 또한 괜찮습니다.
이렇게 괜찮다 보니 서로 괜찮은 거겠지요.
그러길 바랍니다.

그 괜찮음이 진심이길...
간절히 바랍니다.
그래야 살겠습니다.

저는 괜찮습니다.

효도는 셀프

시부모님이 다녀가셨다.

계시는 동안 아무 일도 일어나지 않았지만, 며느리는 기분이 좋지 않았다. 낮게 가라앉은 기분은 남편에게도 전해졌다. 며느리는 불편한 마음이 어디에서 기인했는지 떠올려보았다.

남편은 위로 형을 두고 있다. 이 두 형제는 주변에서도 알아주는 효자다. 어머님은 아들들을 바르게 잘 키우셨고, 며느리들은 조금 고단하다. 하지만 며느리에게도 아들이 있으니 두 분 밑에서 이렇게 잘 자라준 두 형제는 좋은 본보기다.

병원 진료로 할 수 없이 또 아들 집에 올라오신 시부모님은 며느리 보기 미안하시다. 서로 어쩔 수 없는 상황임을 알기에 각자 가진 몫의 불편함과 미안함을 안고서 함께했다.

어머님은 친정에 자주 가지 못하는 며느리에게 자주 못 가더라도 연락 자주 드리라고, 할 수 있을 때 많이 해드리라고 하신다. 며느리는 시부모님이 자신을 사랑하고 아끼는 걸 알고 있다. 하지만 오랜 시간 사정상 친정에 가지 못한 며느리는 어머님의 말에 울컥해 화장실로 뛰었다.

시부모님과 남편의 웃음소리가 밤늦게까지 이어졌다. 행복한 웃음소리가
그날따라 며느리를 찔러댔다. 시부모님이 며느리에게 고마움을 전하고
댁으로 가셨다. 내내 한편에 답답함을 가지고 있던 며느리는 어둠이
내릴 즈음 남편 앞에서 마음을 꺼냈다.

"어머님 아버님은 참 행복하실 것 같아... 미안해하시긴 하지만 원할
때 아들, 손자 보실 수 있고.. 원하시는 건 어떻게든 아들들이 해주니까...
어제는 행복하게 웃는 웃음소리에 친정 부모님이 떠올라서 조금 슬펐어...
그냥 좀 부러웠어. 어머님 아버님이."

며느리의 먹먹했던 마음이 푸념으로 쏟아져 나왔다.
가만히 듣고 있던 남편의 표정이 딱딱해지고 있었다.
어머니와 와이프 사이에서 나름 눈치를 봤던 남편도 이내 마음을
꺼냈다.

"부모님도 눈치 많이 보셔...
아들 집에 다녀가는 게 그렇게 미안해하실 일이 아닌데..."
"..."

가벼워지려고 시작했던 대화는 일상에 묻히고 며느리는 꺼낸 말들이
부스러진 바닥에 청소기를 돌렸다.

며느리는 남편에게 실망했다.

그 서운함을 또다시 언급하기 어렵다는 것을 알고 있다.
부모님이니까... 누구에게나 자신의 부모님은 소중하다. 하지만
며느리도 자신의 부모님이 소중했다. 좋은 아내, 며느리가 되어
남편을 불편하지 않게 하려던 일들이 결국 자신을 아프게 만들었다.

답답함에 며느리는 조용히 책 한권을 펼쳐 읽었다. 그리고는 갑자기
책을 무릎에 내려둔 채, 한참을 가만히 앉아 있었다. 며느리가 책에서
본 글은

*"실망이란 바라던 일이 뜻대로 되지 않아 상한 마음을 뜻한다.
여기서 우리가 주목해야 하는 건 '상한 마음'이 아니라 '바라던
일'이다. 실망은 결국 상대로 인해 생겨나는 감정이 아니다.
무언가를 바란, 기대한, 또는 속단하고 추측한 나에게서 비롯되는
것이다. ⟨보통의 언어들 중_ 김이나⟩*

며느리는 남편에게 자신이 '바라는' 답을 듣지 못해 실망했음을
알아챘다.

남편에게
"당신도 부모님 보고 싶었을 텐데 고마워.
나도 아버님, 어머님께 더 잘할게"
라는 말을 바라고 기대하고 있었다.

며느리는 속단하고 추측했다.

남편은 며느리 눈치 보느라 힘드셨을 부모님만 안타까워하고, 부모님이 눈치 보실까 봐 신경 쓰는 며느리를 알아봐 주지 못한다고 말이다.

모난 감정을 털어내고 다시 생각한다.
남편은 자신의 부모님께 최선을 다한 것이고, 며느리는 친정 부모님께 최선을 다하지 못해 남편에게 서운함을 느꼈던 것이다. 부러움이 혼합된 자신이 하지 못한 일에 대한 죄스러움이 만들어낸 감정이었다.

며느리는 자리 잡지 못한 오빠들을 대신해 혼자서 친정 부모님을 챙기는 게 힘들고 외로웠다. 그래서 누군가에게 부탁하고 싶었고, 그게 남편이었다.

자신이 못하는 걸 다른 이에게 기대고 싶어 했던 것이다.
며느리의 이 무거운 고민을 친정 부모님은 알고 있다. 오빠가 셋인데도 혼자서 자식 노릇을 하는 딸 어깨에 올려진 짐이 자신들이라는 것을.
70대 중반의 두 노인은 딸을 위해 아프지 않기로 한다. 자신들의 건재함이 딸에게 힘이 된다는 것을 알기에 오늘도 열심히 잘 펴지지도 않는 무릎을 이끌고 일한다. 딸에게 부담 주지 않으려 병원비를 모은다.

모은 돈보다 더 빠르게 몸이 병원을 원하는 것을 밀어내며_

각자 부모를 마주하며 사는 우리는 가족이지만 때로는 타인이기도

하다.

며느리이면서 딸인 여자.
자신에게도 딸이 있는 여자.

"엄마! 나 결혼 안 하고 엄마 아빠랑 살 거야~
내가 엄마 갖고 싶은 도서관 지어줄 게~
나이 들면 일하지 말고 책만 읽어~"

며느리의 열 살 된 딸이 말한다.
그 말을 듣고 며느리가 어릴 적 엄마에게 했던 말이 생각났다.

"엄마! 엄마 나이 들면 고생 안 하게 내가 용돈도 주고, 예쁜 거
많이 사줄 게~ 그러니까 조금만 더 힘내~"

그 말들은 어디로 흩어진 걸까...
며느리는 그토록 사랑했던 엄마를 다른 이에게 부탁하고 싶은 자신이
실망스럽다. 평생 후회하지 않기 위한 시간이 남아있는 지금, 며느리는
기대지 않고 자신의 부모님을 챙기기로 다짐한다.

어린 시절 엄마에게 다짐했던 약속을 지켜주자고_

효도는 셀프였다.

3
부

말
없
는

눈
빛
으
로

걷
는

길
―

붉은 밤

초록 망 속 빼곡히 채워진 장작
앞서 들어가려다 서로의 가시에 찔린다.
조금씩 비켜선 몸들은 제각각이건만
통틀어 장작이라 불린다.

서너 개 장작이 먼저 초록 망을 빠져나간다.
이제 숨 좀 쉴 만하구나 싶었는데
어디선가 구슬픈 소리와 냄새가 날아든다.

연기가 앞을 막아 무슨 일인지 알 수 없다.
몇 개의 장작이 또 초록 망을 나선다.
눈 앞을 가리던 연기가 사라지고
벌건 형상이 넘실거린다.

먼저 나간 장작이 검게 질려가며

새로 올라선 장작에 붉은빛을 옮긴다.

초록 망을 빠져나가지 않으려 꺼내려는 손에
가시를 박아보지만
이내 두꺼운 장갑은 살살 달래가며 끌어낸다.

헐거워진 초록 망은 안간힘을 쓰다 떨궈진
장작의 조각들과 가루를 끌어안은 채 아무 말 없이 웅크린다.
초록 망은 또다시 새로운 장작을 맞이해야 한다.
차라리 그들과 함께 타올랐더라면...

아무것도 모른 채 제자리 잡기 분주한 장작들의
작은 소란에 몸보다 마음이 더 따갑다.

오늘도 초록 망을 나선 장작은
제 몸 태워 하얀 바람 되어 날리고
제 몸 태워 벗을 불사 지른다.

서글픔에 서로를 부둥켜안아 보지만
금세 뜨겁게 부스러지고 만다.

해가 오르고 열기가 가신 그곳에
한때는 경쟁자였으나
다른 꿈을 꾸던 이들과
함께 뜨겁게 타올랐으나
서로를 지켜내지 못해
울다 지친 재만 남았다.

그 밤
그들을 태우고 누가 뜨거웠을까
그 밤
그들의 뜨거운 몸부림은 누구 얼굴에 어른거렸나
그 밤
그들이 사라지는 걸 알고는 있었을까

매운 연기가 날아든다
눈을 부릅떠 바라보며 울려다
이내 두 눈에 깊은 주름까지 만들어 감아버린다.

질끈

그 밤
그 누구와 나는 다를 게 없다.

진실보다 짙은 진심

자다가 깬 어두운 밤
불을 켜지 않은 채 손을 더듬거렸어

뭘 찾으려 했던 걸까

손은 어떤 촉감을 느끼려 했을까
익숙한 위치와 느낌
일어나 불을 켜면 될 것을 끝내 켜지 않았어

무엇을 보게 될 거로 생각했던 걸까

알고도 모른 척하고 싶은 진실과
모른 채 계속 알고 싶지 않은 진실

그 두 진실을 피해
만지고 싶은 것만
보고 싶은 것만
찾고 싶은 진심
살고 싶은 진심

진심이 진실보다 더 짙어서
아무것도 볼 수 없었다.

줄

'저걸 누가 데려다 쓰냐?!'
'저걸 어디 갖다 써!'
'아무짝에도 쓸모가 없어!'
'쓸데없는 소리 하지 마!'

우리는 어딘가에 쓰이기 위해 살아가고 있다.
버려진 것들도 어딘가에 쓰였던 것일 텐데
저도 모르게 쓸데없는 존재가 되어있다.

재활용 앞에서 어느 곳으로 분류되어야 할지 난감한 것들은
쓰레기 봉지 깊숙이 감춰 버렸다.

—

어느 줄에 서야 할지 몰라 서성이는 나를 정의하고 자리 잡아주는
이를 만날 때면 편하다. 그런데 줄 서 있자니 이 줄이 어떤 줄인지
궁금하다.

앞사람에게 이 줄이 어떤 줄이냐 물으니 모른다고 한다. 뒤돌아 물으니
그도 서라고 해서 섰다고 한다.

'나는 지금 어디에 서 있는 걸까?'

자리를 이탈해 두리번거리니 큰 소리가 들린다.

'너 자리가 어디야?'

'네? 잘 모르겠는데요...'

길 잃은 아이 같은 나와 어이없는 상대의 시선이 마주 선다.
상대의 눈은 번뜩이고 내 눈은 흔들린다.
상대의 눈이 빠르게 나를 재단한다.
이번엔 어느 줄일까?
아까 선 줄과 다르다.

가끔 그 반듯한 줄과 줄 사이의 빈 공간을 걸어 나가고 싶을 때가
있다. 걱정과 부러움, 야유가 섞인 시선을 받아내고, 제 갈 길 가고
싶은 마음을 걷는다. 통제하는 이의 권위 앞을 지나쳐 열을 흐트러뜨리고
싶다.

—

'미꾸라지 한 마리가 분위기 망친다'는 말을 오른손에 구겨 쥐고서
걷는다.

영문을 모르는 이들이 두리번거리다 하나둘 발을 뗀다.
줄이 흐트러지고 결을 만들어낸다.
어디에 쓰일지 모르던 이들이 줄지어 있던 유선 노트가 무선

노트로 비워진다.

점 하나를 어디에 찍든 잘못없다.

쓸데없는 것들이 쓸 곳을 찾아 떠도는 발자국이 새겨진다.

무선의 세계_

쓸만한 녀석들로 가득하다.

식사가 끝나는 동안 너와 내 이야기는 없었어_

부부가 식사 시간에 나누는
대화엔 깊은 의미가 담겨있다

'친구 A네 부부는 고민이 많더라.
나 같아도 그럴 것 같아.'

분명 너와 내가 앉아 밥을 먹는데
자리에 없는 다른 사람 이야기가
차려졌다

무겁고 진지한
우리 이야기보다
한걸음 떨어진 타인의 삶을
이야기하는 게
적막한 밥상 분위기를 띄우기에

딱이니까

식사가 끝나도록
너와 내 이야기는 없어

너에게 전하고 싶은 마음을
다른 이의 삶에 끼워 넣어 건네보지만
너무 감쪽같이 숨겨서
너는 알아채지 못해

무겁고
답이 없어 보이는 현실

그래도
우리는 밥상 위에
너와 나를 올려야 해

날것은 탈이 날 수 있으니,
상대가 소화할 수 있도록
서로를 조금 데워
꺼내보면 어떨까

나도 나를 모르잖아
그래서
나에게 쓰는 편지가 필요할지도 몰라

내가 무엇을 원하는지
무엇을 향하고 싶은지
그걸 알아내지 못하고선
내 마음 너에게 알아내라고
떼쓰고 있었어

사탕이 먹고 싶으면
사탕을 말해야 했던 거야
너에게 나를 전하고
네가 나를 읽어주면
나는 책이 되는 거야

그리고선
네가 너를 찾아내게 도울 거야

너를 읽을 거야
너도 책이 되는 거지

우리는 그렇게 자신만의
인생을 쓰고 있어

오늘 밤
나는 나를 알아야 하고
너는 너를 알아야 할지 몰라

다른 사람 이야기는
우리 그때 하자

한순간에 이뤄지진 않겠지만
그렇다고 한평생 걸리진 않을 거야

뭐야
그럼 우리 집은 서점이 되는 건가?

좋네
손해 없잖아

한 번 해 보 자.

네게 좋아 보였던 행복

'넌 좋겠다. 행복해서...'
내 손과 마음을 묶어버렸던 친구의 한숨이었다.

싸이월드가 활성화되던 시기였다. 적당한 사진에 짤막한 글을 올렸다.
대부분 웃었고, 밝았다. 화려할 것 없던 내 작은 소식들이 닿을 때면
자신의 처지와 비교되어 친구는 아팠다고 한다. 그 한숨을 듣고선
아무것도 쓸 수가 없었다. 그때는 그게 친구를 위하는 방법이라 생각했다.

그리고 수년이 지난 지금.
나는 또다시 이런 비슷한 상황들을 만났다.

'너는 좋겠다. 남편이 잘해주고, 하고 싶은 것도 많아서.'

그 한숨이 가라앉을 즈음 생각해보면 도움이 될지도 모를 이야기를
했다. 배려를 핑계로 순간의 행복을 뭉개 버린 짓을 되풀이하지 않기
위함이었다.

"있잖아...

남편한테 내가 더 잘해줘. 처음부터 서로 잘 맞았던 거 아니야.
이해하려고 노력했고, 기다렸고, 내가 듣고 싶은 말을 건넸어.
내가 하고 싶은 일이 있으면 남편이 하고 싶은 일은 무엇인지 물었고,
어느 것 하나 거저 얻지 않았어. 서로 잘하고 있는 거야.

잘 살고 싶으니까."

그리고
더 늦기 전에 '해볼걸' 했던 것들을 해보는 중이야.

"네게 좋아 보였던 행복은_

 우리의 후회하지 않으려는 노력들이야."

서툰 침묵

고요함에 들어가고 싶어
침묵한다

침묵은 내려앉고
오해를 불렀다

들어가려던 고요는
저 멀리 밀려가고
침묵이 남긴 잔해만 가득

열심히 충실한 순간이 남긴
고요함을 찾아 숨어들려는 쉼

아직은 욕심인 걸까

서툰 침묵이
오해를 내보내려

서툰 수다를
떨다 보니

고요는 어딨냐고요_

서툰 개그나 친다.

태우지 않은 편지

정리 하려 꺼낸 편지함
뚜껑을 열면 쉬 닫지 못할 걸 알았으나
알고도 펼친 종이에 맺힌 것들이
그동안 소리 뱉지 못해 얼마나 외로웠을까 싶다.

내가 보낸 쪼가리 편지들도 어딘가를 부유하며
지난 내 시간을 부둥켜 안고 있겠지.

익숙하고 낯선 이름의 편지들을 읽고 있자니
코끝에 징이 울리고
바쁘다고 밀어둔
아니
잊고 지낸 시간이 다리 저리다.

사는게 다 그런거 아니겠냐
잘 지내고 있음 됐다 싶지만
지난 편지 속 나와 지금의 나는 늘 바쁘다.
바쁘다는 방패로 내 시간을 지켜내고 있다.

그래서

선뜻 내 시간 속으로 들어오지 못하고
외로워하는 주변이다.

그러고선 나 홀로 외롭다했다.

—

겨울을 함께 지낸 이들에게
안부 메시지를 보냈다.

'불쑥 생각나서 안부전해..'

군더더기 빠진 싱거운 인사에

'나는 자주 생각해.
언젠가 네가 이렇게 불쑥 안부 전하는 날이 오리란 걸 알고
있어서 기다렸어.'

라는 찐한 인사가 돌아온다.

오지랖퍼가 반경을 줄여 내 가정에 중심을 뒀다.
우연히 펼친 편지로부터 열어진 의리, 우정이
튀어나와 파노라마로 스친다.

부랑자를 자처했던 내가
뿌리를 깊게 내리려 부단히 애쓰는 동안

변해버린 내 모습이 어색한 이들 앞에
나 역시 어색하고 만다.

—

변하지 않고서는 객사하겠다싶어
노력했다 생각했으나
실은 부랑하지 않으려
제 모습 찾아가는 길이었으니.
당신도 나도 서로 다른 곳에서
아득히 바라보고 서있더라도
어색한 강을 사이에 두고 무음으로
안녕을 전한다.

외로움 없고 상처 없는 시간이 어디 있겠냐는
한숨 섞인 문장이 십 여년이 지나
다시 만나도 어색하지 않은 걸 보니
그런 시간은 없었음이 확인된다.

아

같이 흔들리던 그 바람이
함께 발 시려주던 겨울이
빈 주머니를 채워주던 당신의 얇은 지갑이
자존심 세우려 덤덤히 받아들여

엉거주춤 바지에 꽂히던 지폐의 기억을
한때는 태워버리고 싶었다.

휴_

태우지 않아 다행이다.

_것들

어 긋 난 것 들
무 모 한 것 들
불 순 한 것 들
설 익 은 것 들
어 두 운 것 들
무 거 운 것 들

이 것 들 을

볕 좋은 곳에 내다 널어야지
바람이 잘 오가는 곳에 내놔야지

따가운 눈총 아래 말고
따가운 볕 아래
두드려 털지 말고
바람에 날려 털리게

이 런_것 들 은
처음부터 그런 것들이 아니지

아플 거야   조금만
따가울 거야   잠시만
가려울 거야   천천히
도망치고 싶을 거야   괜찮아
욕이 튀어나올 거야   그래그래

너의 부끄러움에
일광욕이

너의 공허함에
스치듯 바람이
말없이 함께해

그 까 짓 것 이 되 지

_사고

마음이 앞서간다.
그 뒤를
말이 따른다.

붐비는 차들 사이 마음이 정체된다.
그 뒤를 요리조리 피하며
말이 달린다.

피곤해진 마음이 갓길에 차를 댔다.
그 사이 말이 질주한다.
마음이 눈을 끔뻑하는 사이
말은 깜빡이도 켜지 않고
차선을 변경한다.

불안함에 마음이 서서히
말 뒤를 따른다.

길은 더더욱 막혀있다

갓길로 요란한 견인차가 달린다

교통사고다
깜빡이 없이 차선 변경한
말 바꿈이 일으킨 사고
마음이 바뀌는 속도보다
앞서 노선을 변경한 말은 이렇게나 위험하다

차선 변경은
깜빡이 넣고
안전 운전 합시다

말과 마음 사이
안 전 거 리 유 지

관심

다른 이의 삶은 관심 없다 하였습니다.

관심 없다 하고 선
어두운 밤 휴대폰으로 타인의 사진 안에
응축된 삶을 들여다봅니다.

그들의 삶을 보는 제 시선이
표정에만 닿지 않고 그 너머 배경을 보고 있습니다.

어떤 집인지, 어떤 너비인지, 어딜 다니는지
얼굴 너머의 배경으로
다른 이의 삶을 가늠했습니다.

그렇습니다.
저는 가늠하고 있었습니다.

몇 장의 사진은 그들 인생의 어느 한순간일 뿐이라는 걸
알면서도 쉽게 믿어버렸습니다.

또 어떤 날은 사진 속 표정을 의심하기도 했습니다.

내 집을 둘러보고
여행지를 살펴봅니다.
필요했는지, 가고 싶었던 곳인지 모를 것을
사들이고 떠났습니다.

사진을 찍었습니다.
휴대폰에 올리진 않았습니다.
타인의 눈에 가늠되고 싶지 않았나 봅니다.

어쩌다 저는 제 삶을
휴대폰에 공개된 사진처럼 보게 되었을까요.
어쩌다 제 삶을
예술 사진으로만 담으려 들게 되었을까요.

알면서도 묻는 저는
답을 듣고 싶은 걸까요.
스스로에게 답하는 걸까요.

오늘도 알면서 아닌 척
답을 바라지 않는 질문을 하고 맙니다.

마디 점프

고단한 하루를 넘기고 싶을 때
노래방 리모컨이 생각난다

'마디 점프'

긴 전주 구간을 훌쩍 뛰어넘기 위한 버튼
노래방 주인이 서비스로 준 시간이 얼마 남지 않았을 때
조금 더 부르기 위해 간주들을 뛰어넘는 버튼

딱 그런 날이 있다.
이 구간만 '마디 점프'하면 좋겠다 싶은 날_

없다

메마른 대지에 흘러내리는 것들은 말이 없다

말없이 흐르다 피워낸다

말없이 피어나는 것들은 보는 이의 말문을 연다

말은 필요 없다.

4
부

소
리
죽
인

것
들
의

외
침
|

예고 없던 비

예고 없던 비였다.
예고가 없던 탓에
준비가 없었다.

걸음을 빨리하는 이들
모자를 뒤집어쓴 이들
건물 아래 멈춰 비구름이 지나가길
기다리는 이들
이들 사이로 한 여자아이가 보였다.

사거리 긴 신호등에 걸려
비 한 방울 젖지 않는
차 안에 앉아
꼬들한 몸으로
이러지도 저러지도 않고
눅눅해져 가는
여자아이를 한참 바라봤다.

학원에서 나온 모양이다.
곁에선 아이들은

엄마가 우산을 들고 찾아와
잽싸게 껴안아 자리를 뜬다.

그 잠깐 사이 또 여자아이 혼자다.
여자아이 목덜미 뒤로 모자가 있다.

'아이야, 그 모자를 쓰고 뛰어갈래?'

창 너머 내 바람이 네게 전해진 걸까.
여자아이는 모자를 뒤집어쓴다.

'그래, 비 조금 맞아도 괜찮아.'

여자아이는 뛰어나가려다 금세
우산행렬이 가득한 거리를 보곤
다시 모자를 벗은 채다.

신호등이 바뀌고
여자아이가 머문 건물을 뒤로한 채
나는 나아가고
아이는 작아져갔다.

문
득

다음에 내 아이들에게 우산을 가져다줄 때면
우산을 여럿 챙겨가야지 했다가.

번

뜩

다음에 내 아이들에게 갈 때면
우산 없이 모자를 쓰고 뛰어야겠다.

세상에 비는 꼭 우산만이 가려주는 게 아님을
비 맞는 걸 두려워하지 않기를
곁에 우산 없이 머뭇거리는 아이와 함께
우리 모두 미친 듯 달리도록

젖어서 무거운 건 솜이고
젖어서 자라는 건 꽃이다.

해줄 거라 곤 너희가 꽃이라는 걸
들려주는 것뿐
아쉽게도 알려주는 건
자신이 없다

곁에서 이상한 아줌마가 비 맞고 뛰거든

따라 뛰렴
사람들 눈엔 이상한 어른만 보일 거야

걱정 마
이미 쫌 이상한 사람이라
자신은 낭만이라 여기며 달리고 있을 테니

그러니

행운을 기다리지 말고
네가 행복으로 만들렴

참 방귀 같은 소리지만
퍽 애틋함의 소리란다.

젖어 본 자만이 알 수 있는
울창한 숲이 있단다.

불 멍

불은 바람에 의해 춤추고 있었다.
일렁이고 싶지 않던 불은 바람이 없으면
자신도 타오를 수 없다는 걸 안다.

오늘도 춤추고 싶지 않은 불이지만
속없이 이리저리 바람의 박자를 맞추고 만다.

장작 역시 속이 말이 아니다. 죄 타들어갔다.
서서히 속도를 줄이고 새벽 서리를 머리에 인 모습으로 잠들고
싶었다. 조금만 더 태우면 쉴 수 있다.

곁에서 책을 펴 들고 폼 잡는 여자가 추울까 마음에 걸리지만, 오늘은
이만 쉬고 싶다. 불이 춤을 멈추면 밤새 춤추느라 고단할 그 찬란한
불꽃을 자신의 재 안에 쉬게 할 참이었다.

여자가 갑자기 책을 놓고 일어섰다. 여자는 장작 네 개를 포개어
넣는다. 아무래도 곁에 있는 장작을 다 태울 모양이다.

불씨의 붉은 열기는 마른 장작에 스며들어 속을 태우기 위해 애를 쓴다. 연기가 자욱하다. 순식간에 눈앞이 뿌옇게 변했다. 여자는 눈이 매운지 눈물이 한 바가지다. 괜스레 불은 여자에게 미안해진다.

—

다시 활활 타오르기 위해 견뎌야 하는 시기가 있다. 추운 바람을 맞고 기다리다 매운 연기를 뜨거운 눈물로 씻어내야 하는 시간.

여자는 연기가 빠지도록 문을 열어 환기를 시켰고, 그 사이 바람들이 밀려들어와 장작이 불꽃을 피우길 도왔다. 그러고는 연기를 껴안고 유유히 사라졌다. 공간 안은 다시 온기로 채워졌다. 여자는 책을 읽다 밑줄을 그으며 나른한 미소를 짓는다.

불은 바람 때문에 좋아하지 않은 춤을 춘다고 여겼다. 바람이 제멋대로 자신을 쉬지 않게 하는 것이라...

불과 여자는 새롭게 불을 지피며 같은 생각을 한다.

"나 혼자만으로는 피어날 수 없다."

불은 바람에 고마움을 느끼고 자신이 존재하는 기쁨에 춤을 췄다. 여자는 춤추는 불 곁에서 밑줄을 쳤다. 자신을 태워 불을 밝히는 게 '누군가'를 위해서라고 여겼던 시간이 연기처럼 빠져나갔다.

재가 된다는 것을 알면서도 타올랐다.

'재가 된다는 건
하늘로 날아오를 수 있다는 것_'

'나'를 있는 그대로 태워 자유롭게 노닐도록 하는 것.
여자는 그날 늦게까지 불장난했다.
다행히도 그날 밤 이불에 실수하는 일은 벌어지지 않았다.

파 문

섬에서 다른 육지로 나가는 배 위였다.

누군가 아이가 내려다보는 바다 위에 돌을 던졌다. 아이는 던진
사람이 누구인지 확인하려 들지 않았다.

돌이 던져진 고요한 바다에 물결이 생겼고, 돌이 들어간 중심은
크게 출렁였다. 끝을 향할수록 작은 물결이 평온한 원을 그리며
퍼져나갔다.

어느새 바다는 돌을 끌어안고 작은 물결의 여운만 찰랑거렸다.

아이는 계속해서 바다에 돌을 던지고 싶었다. 바다가 얼마만큼의 돌을
끌어안을 수 있는지, 거센 물살을 어떻게 진정시킬 수 있을지 확인하고
싶어서다.

아이는 바다에 던져진 돌을 '소문'이라 생각했다. 바다에서 큰 원을
그리며 퍼지는 물결처럼 소문도 처음보다 더 크게 퍼진다는 것을
알고서다. 소문은 손으로 잡을 수 없었다. 바다가 그랬던 것처럼
잡으려 할수록 또 다른 새로운 원을 만들어 교집합이 되었다. 그
순간 소문은 또 다른 확신을 가지고 더 오랫동안 살아남았다.

아이는 바다에 던져진 돌을 보며 소문을 떠올려낸 자신이 우습게 느껴졌다. 내 것이 아니었으면 좋겠는 일.

"넌 그래도 아빠가 좋냐?"

누군가 던진 돌이다. 아이는 그 와중에도 어른에 대한 예를 갖추려 어설프게 미소 짓고 지나쳤다.

사람들은 궁금증을 삼키지 못해 아이 마음에 돌을 던졌다. 아이는 바다처럼 돌을 끌어안을 줄도, 출렁임이 잔잔해지길 기다리는 방법도 몰랐다. 그대로 돌을 맞았고 괜찮은 척했다. 몸 밖으로 어떤 물결도 흐르지 않았다.

바다와 함께 시간이 흘러 아이는 자라났다. 그 예전의 소문은 바다 안에 묻혀 잔잔해졌다. 소리 죽여 우는 법을 배워버린 탓이다.

그리고 이제야 바다 속 유물이라도 찾아 나서는 마음으로 잠수해 들어가 소중히 건져 올려 마른 수건으로 정성스레 닦는다.

저 깊은 바다 속 얼마나 많은 것들이 소리 죽인 울음을 토해내고 있을까?

바람이 잦은 오늘도 저 바다는 출렁인다.

누구의 것인가_

소 문

소문은 열리지 않아
소문은 손잡이가 없지

소문을 열어 무얼 보려하나
소문은 보이지 않아

그러니
나를 만나려거든
대문을 두드려

_괜찮냐는

괜찮냐는 질문은 흔히
괜찮지 않은 순간에 건네는 말이다.
나 같으면 좀 속상하겠다는
내면의 알아차림이
상대를 걱정하며 건네는 위로다.

괜찮냐는 질문은 '괜찮다'는
말을 듣기 위한 질문이기도 하다.

너 괜찮음으로 인해 그 순간이
불편하지 않게 지나가길 바라는
평화의 마음이다.

괜찮냐는 질문은
그렇게 나와 상대를 위한
마음이 교차되는 언어일지도 모른다.

괜찮냐는 질문은
'너라면 괜찮겠냐?'라는
말을 듣기 위한 건넴이 아니다.

그렇다면_
괜찮냐는 질문은
'괜찮다', '괜찮지 않아'라는
두 가지 답을 통한
서로의 위안이 아닐까?

난 당신이 괜찮았으면 좋겠고
난 당신이 괜찮지 않다면
그 곁에서 괜찮아지길 바라겠다.

'괜찮아?'
'괜찮지 않았는데 네가 함께해줘 괜찮아졌어.'

숨

누가 봐도 앞이 보이지 않는 길이었다.

달이 떴더라면 달빛에 기댔을 거고
휴대폰 손전등 기능이 있었더라면
남은 배터리 시간에 기댔을 거다.

무엇도 없던 우리는

서로의

숨에

기

댔

다

.

어둠 속에서 빛나는 건 십자가뿐이었다

십자가 수만큼 서점이 생긴다면 어떨까.

스물한 살쯤이다. 버스정류장과 멀리 떨어진 오르막길에 자리한 집에서 막내 오빠와 자취를 했다. 사글세. 이름마저 서글픈 사글세는 일정한 기간을 정해 집세를 미리 내고 들어가 사는 주거 형태다. 1층은 주인, 2층은 세입자가 주로 살게 되는데, 나는 그 점이 참 좋았다. 2층이 전부인 집의 최고층에 살면 야경을 마음껏 즐길 수 있기 때문이다.

꽃 같은 청춘이었지만 표정은 세상을 다 살아 미련 없는 노인의 표정으로 낮 동안 서툰 세상살이를 마친 후, 버스에서 내려 한참을 걸어 올라갔다. 골목들을 지나 익숙한 문 앞에 섰다. 열쇠를 꽂아 돌리면 요란한 철컥 소리와 삐거덕거리는 문소리를 줄이기 위해 경첩 쪽으로 문을 살며시 밀어 열었다. 계단을 올라 집에 들어가기 전, 주변을 둘러봤다. 어둠 속에서 빛나는 건 오로지 교회의 빨간 십자가뿐이었다. 기도는 하지 않았다. 방법을 몰라서이기도 했고, 다리에 힘이 풀릴까 두려워서다.

—

지금 내가 사는 곳의 최고층은 13층이다. 그곳에 오를 일은 없지만, 겨울이 가까워지면 그때 보았던 빨간 십자가들이 떠오른다. 그 시절 막막한 어둠 속에서 변함없이 빛이 되어주는 따뜻함이었다.

얼마 전 남편과 치킨에 맥주 한잔을 하며 나눈 이야기다. 맥주 한잔에 아득한 눈빛으로 남편을 향해 물었다.

"책방은 어디에 있어야 할까?"

남편은 마시려던 맥주를 내려두고 나를 가만히 바라보며 답했다.

"사람들이 많이 다니는 곳 아닐까?"

나는 남편을 바라봤지만 실제로는 아무것도 보지 않은 채 다시 물었다.

"책은 누가 읽어야 할까?
책을 쉽게 접할 수 있는 사람일까, 접할 수 없는 사람일까?
그럼... 책방은 어디에 있어야 하지?"

나는 독백에 가까운 질문을 남긴 채 생각에 잠겼다.

—

이상과 현실 사이 괴리감은 늘 존재한다. 깊은 골목에 사는 사람들에게 희망처럼 책을 건네고 싶지만, 현실에선 유동 인구가 많은 곳, 이미 책을 쉽게 접하고 있는 사람에게 한껏 분위기를 낸 서점을 차리고 싶다. 우리의 대화는 아이들의 소란으로 중단되었고, 나는 '진짜 서점이 있어야 할 곳은 어딘가'에 대한 질문을 다시 삼켰다.

집으로 돌아오는 길 마침표 없는 상상을 홀로 이어갔다. 그 시절 어둠 속 빛이 되어준 십자가는 여전히 누군가의 밤을 지켜내고 있을까?

십자가 수만큼 서점이 생긴다면 우리에게 무슨 일이 생겨날까?_

흐린 하늘에 고백 (잿 빛)

잿빛 하늘을 보면 마음이 안정됐다.

낮고 무거웠지만 가까웠고 내가 가진 색과 닮아 편안했다. 하지만 어디서고 잿빛이 좋노라 말하진 않았다.

좋아하고선 좋다 말하지 못하는 꼴이 짝사랑 같았으나, 그 짝사랑 상대가 세상 사람들 보기에 보잘것없을까 봐 감추었다. 짝사랑 상대가 내 수준을 나타낼 것만 같아서다.

마음속은 장마인데 내 속과 달리 화창하고 아름다운 것들 앞에서, 이슬이 맺히곤 했다. 나와 온도가 다른 사람, 장소, 상황에서 연일 장마였다.

잿빛 하늘이 몰려오는 날은 두려움과 익숙함이 함께했다.

모든 것이 채도를 낮추는 날_
긴장된 이들의 표정이 나와 비슷해지는 날이었다.

봄인데 그런 날이다.

경이롭던 풍경이 채도를 낮추었다.

하지만 이슬은 맺히지 않았다.

그래서 고백했다.

네가 다가오는 날이 좋았어
넌 내 마음처럼 낮고 무겁게 다가와 줬어
내가 울 적에 네가 내려준 빗물이 좋았어
내 쪽팔림이 자유롭게 빗속을 달리는 걸로 희석되었거든
네가 번쩍 크게 소리칠 때면 나는 고개를 들었어
내 안에서 들려오는 무서운 소리가 묻히고 별일 아닌 게
돼버렸거든.

내 어둠에 가장 가깝게 다가와 준 너였어
내 어둠보다 조금 밝은 빛으로 나를 밝혀준 너였어
네가 사라지고 눈부신 하늘
흰 구름 사이에 섞여 빛을 살포시 가려준 것도 너였지
그 덕에 눈이 멀지 않았어.
내게도 이제 선글라스가 생겼어
눈으로 울 줄도 알아
우산도 챙길 줄 알고
네가 내게 준 깊고 낮은 사랑을 기억해.

고마워.
내가 밝은 곳으로 걷다가 어둠을 만나더라도
나는 너를 기억할 거야

네가 내게 준 것들.
신발이 젖어 찰박거리던 발걸음 음악
고개를 돌릴 때면 스윙으로 뺨을 때리던 젖은 머리칼
쫄딱 젖은 걸음으로 걷던 엉거주춤
그 모습을 수건 들고 달려와 닦아주던 이들과의 만남까지

네가 뿌린 비를 피해
제 몸 가릴 곳을 찾아
뛰어 들어간 곳에서 만난 사람들

넌
나를 그곳으로 보내준 거야.

그래서 난 네가 오는 날이 나쁘지 않아
넌 센티함을 허락해 주는 날이거든

누군가에게 우산을 빌려줄 수도

함께 쓸 수도 있는 날
이런 내가 제법 멋져 보이는 날
그런 너를 좋아해.

잿 빛

넌 내게 늘 빛이었어.

무엇이 되는 것만이_

섬을 떠나와 스무 살에 들어간 대학을 한 학기 만에 자퇴했다.
빚내서 다니기엔 나와 맞지 않는 공부였다. 부모님과 상의하지 않은
채 단시간에 취득해 돈을 벌 수 있다는 이유로, 간호 학원을 등록하고
병원으로 실습을 나갔다.

아침 출근 시간 직장인들이 익숙한 표정들로 각자 자신이 속한 건물로
들어갔다. 실습 병원 직원들을 볼 때마다 나는 내심 부러웠다.

'나도 저런 익숙한 표정으로 당당한 직장인이 되면 얼마나 좋을까.'

간호 학원을 무사히 마칠 수 있을지 확신이 없었던 나는 그들의
피곤함마저 질투하곤 했다.

"일찍 왔네~?"

아침에 본 직장인들과 달리 활기찬 걸음걸이로 다가온 간호사 선생님의
인사였다. 실습을 시작한 지 얼마 되지 않아 발끝까지 긴장하던 나는, 먼저
다가와 인사해 준 선생님 도움으로 하루하루 빠르게 적응해 나갔다.

언제부턴가 출근길 간호사 선생님 머리가 젖어있었다. 다음 날도, 그다음
날도... 젖은 머리 때문에 그녀의 어깨는 물기를 가득 머금고 있었다.

"선생님, 왜 머리를 안 말리고 오세요?"

"수영하고 머리까지 말리고 오면 지각하니까." 그녀는 특유의 호탕한 웃음을 터트렸다.

"병원 근무하기도 힘드실 텐데, 아침마다 수영까지 하시는 거예요?"

"수영할 때가 젤 재밌어!"

별것 아닌 듯 말하는 그녀는 멋지기로 작정한 모습이었다. 그 순간 그녀의 얼굴은 내가 그토록 바라던 '당당한 직장인'처럼 보였다.

—

실습이 끝나갈 무렵 조심스럽지만, 확신에 찬 말투로 그녀에게 물었다.

"선생님은 간호사가 꿈이었죠?"

그녀의 시선은 아주 잠깐 나를 비켜나갔다가 다시 웃음을 머금고 돌아왔다.

"아니! 돈 벌려고 하는 거야."

나는 솔직한 답변과 눅눅해진 그녀의 어깨를 번갈아 쳐다봤다.

"집에 보내고 남은 돈으로 내가 하고 싶은 걸 할 수 있으니까 그걸로 만족해! 게다가 나만의 공간도 생겼거든!"

병원 근처 작고 저렴한 자취방 이야기였다. 나는 20년이 지난 지금도 가보지 못한 그녀의 자취방을 떠올릴 수 있다. 그녀는 눈을 반짝이며 말했다.

"내 자취방은 책이랑 침낭밖에 없어.

베개가 책이고, 책들은 책꽂이 없이 쌓아뒀어.

그게 내 꿈이었거든!"

무엇이 되는 것만이 꿈이 아닐지도 모른다.

아주 작게 내가 바라는 세계를 채워가다 보면 그곳이 꿈이
아닐까_

아이는 나무가 이기적이라고 했다

사람들 옷이 두꺼워지고 있다. 몸으로 바람이 스밀까 한껏 움츠린 몸으로 종종거렸다. 인사를 나누면서도 다리는 체온을 높이기 위해 바삐 움직인다.

찬 바람에 쫓기듯 걷던 나는 한 남자아이 앞에 멈췄다. 아이는 고개를 들어 나무를 바라보고 있었다. 바람이 비껴가는지 아이는 곧은 자세로 나무와 마주했다.

"추운데 여기서 뭐 해?"

나는 종종걸음을 멈추고 어깨와 목을 한껏 모은 채 아이에게 물었다.

"나무는 참 이기적인 거 같아요..."

'무슨 뜬금없는 소리지?'

꿈적 않고 말하는 바람에 나는 아이가 말하는 것인지 확신할 수 없었다.

"왜 그렇게 생각해?"

나는 제법 어른스러운 표정으로 아이에게 물었다.

"자기만 겨울을 이겨내려고 나뭇잎을 버리잖아요..."

아이는 나무에 시선을 고정한 채 답했다.

순간 웅크리고 있던 내 몸에서 힘이 쫙 빠져나갔다. 그리고 아이의
눈으로 주변을 천천히 둘러보았다. 모든 것들이 떨어져 내린 그곳에
이기적인 나무들만이 제 몸을 챙기고 서 있었다. 몸에는 겨울을 이겨내기
위해 짚으로 엮은 옷을 두르고 있었다. 그 곁으로 또 하나의 나뭇잎이
떨어져 내렸다.

아이는 나무가 겨울을 나기 위해 나뭇잎을 떨어뜨리는 것을 알고
있다. 그렇게 겨울을 이겨내 봄이 오면 또다시 새잎을 피워내는
것까지도 말이다. 알면서도 자신만의 눈으로 나무를 바라보고 생각하고
있었다.

나는 아이에게서 자유로움을 보았다. 답을 알고도 그 위에 자기만의
생각을 새롭게 써내는 아이는 자신이 얼마나 멋있어 보이는지 모르는
눈치다. 친구가 부르는 소리에 '안녕히 계세요~'라는 인사를 남기고
아이는 뒤돌아 뛰어갔다. 나는 뛰어가는 아이의 뒷모습을 넋 놓고
한참을 바라봤다.

—

정의를 알게 되면 그것에 의문을 품지 않는다. 수많은 지식인이
연구해서 밝혀낸 정보이기에 의심할 필요가 없었다. 자연과 사물에
대한 궁금증은 내 영역이 아니라고 생각했다. 생각의 자유가 사라지고

내 마음은 점점 좁아지고 있었다는 것을 알아차리지 못했다.

자유로워지고 싶어서 자유를 찾아 떠났던 나였다. 자유는 그 어떤 모습으로도 존재하지 않았다. 내가 추구하는 생각의 자유로움이 때 묻지 않은 아이와 나무 사이에 있다.

그날 이후, 겨울을 맞이하는 나무를 보면 '이기적인 나무'가 떠오른다. 아이의 말 덕분에 내 심장이 살아있는 것들을 향해 두근거리기 시작했고, 사물을 바라보는 눈에 호기심이 묻었다. 의미를 더해 바라보는 것들에서 존재감이 뿜어져 나오고 있다.

그 어느 곳, 어떤 상황이라도 내 눈으로 바라보고 느끼고 깨달아야 했다. 세상에 정답은 없을지도 모른다. 우리의 편의를 위해 만들어둔 답 앞에서 생각의 자유를 잃지 말아야 하지 않을까_

떨어지는 낙엽을 바라보는 내 눈이 반짝인다.

'나뭇잎은 겨울 여행을 준비 중!

바스락 콧노래를 흥얼거리며'

5부

쓴

맛

나

던

세

상

이

쓰

다

보

니

|

멀미

지나고 보니 출렁이고 질퍽한 길만 있진 않았다.

여자는 가던 길 멈춰 뒤돌아섰다.
이렇다 할 발자국은 남지 않았으나
'이만큼 걸어 나왔구나...' 하며 긴 콧김을 내쉰다.

기었던 날도 있겠지
추웠던 날도 있겠지
쓰러졌던 날도 있겠고
뻐근하게 울렁이던 가슴은
어쩌면 멀미였는지도 모르겠다.

여자가 기억하는 날들이
파도에 휩쓸려 언제 먹었는지도 모를 것을 토하고
바다 위 태양에 그을리고, 휘청이다 생긴 상처엔
바닷물이 거르지도 않고 짜디짠 채찍질을 했을 것이다.

구역질 나는 순간을 꿀꺽 삼킨 날도 있었을 테고,

그보다 더 큰 입으로 자신을 삼키려는 폭풍우 앞에서 제 모든 걸
내려두고 찬 바닥에 드러누운 날도 있었을 것이다.

있었을지 없었을지 모를 여자의 멀미를 가늠하다 눈이 따끔해진다.

바다는
여전히 발 디딜 틈을 주지 않고
저마다의 배 위에서 시험을 치르게 하고 있다.

여자가 있다.
파도는 보기 좋게 쳐 오르고 배는 쉴 없이 요동친다.

그 위에 여자가 서 있다.
아무것도 잡지 않고 바람이 불어오는 곳을 향해 섰다.
여자의 얼굴을 바람만이 어루만진다.

조급한 출렁임에 울렁이던 속을 비워내고
냉정한 현실의 채찍을 받으며
거둬가지 않고 남겨둔 세상에
짙은 피부색을 하고선 파도와 리듬을 탄다.

뱃사람이 다 되었구나_

소(우)주

한 잔?
가자!
또로록
챙!
스흡_
크으_
가자~

그 한 잔에 어디 19.8도만 담겼겠나
36.5도를 넘어선 뜨거움이 찰랑이지

영롱함의 쌉쌀함이
쓸쓸함을 닮아 있는 건 말해 뭐해
촐랑이는 입일랑 다물고

챙.

네가 삼킨 게 어디 그냥 알콜이겠나
그 안에 생채기 소독 중인 게지
쓰린 속 부여잡고
한동안 들이 붓지 않도록
살아내는 게지

소주에
소우주가 담겼다는 사실
알고 있나

나는 오늘 알았네
우주를 삼키려다
우주를 마셔버린 거지

소 (우) 주

좋은 사람이 잘 사는 세상

"교수님 저 돈 좀 빌려주실 수 있나요?"
간절함과 비굴함을 감춘 당당한 말투였다.

"왜?"
당황한 교수님은 물고기 같이 큰 눈을 더 크게 떴다.

"00이 등록금이 부족해요. 제가 같이 갚을게요. 저희 아르바이트하니까
금세 드릴 수 있어요."

교수님은 낮은 목소리로 장황한 거절을 표했다. 나는 친구를 위해
이곳저곳에서 돈을 빌렸다. 평소 성격 좋은 친구를 도우려는 사람은
많았다. 덕분에 친구는 계속 학교에 다닐 수 있었고, 금세 빌린
돈을 갚았다. 시간이 지나 친구는 내게도 그 모든 것들을 되돌려
주었다.

그때는 몰랐다.

내가 친구를 위해 '좋은 사람'이 되면, 친구는 '도움받은 사람'이
된다는 것을.

나는 도움을 줬다는 사실에 뿌듯했고, 친구는 도움을 받았다는 사실에 늘 미안해했다.

누군가를 돕고 '좋은 사람'이 된다는 건 자신도 모르게 그보다 더 나은 사람이라는 교만함이 깃든다. 그 한 번이 마치 앞으로도 쭉 그럴 것처럼 교활하게 자신을 우위라 여기게 했다. 나는 이 마음을 눈치채곤 부끄러워져 친구에게 미안해졌다.

그날로부터 시간은 훌쩍 지나왔고 나는 친구의 도움을 자주 받는다. 도움을 줬던 이에게 도움을 받는 순간 이상한 기분이 들었다. 이 기분 역시 오만의 꼬리다. 꿈틀거리는 꼬리를 곁에 두고 나를 그날의 부끄러운 마음으로 데려갔다.

—

소중한 사람을 지키고 싶은 마음.

나는 친구가 학교를 떠나는 걸 원치 않았다. 교수님까지 찾아가 부탁한 이유는 친구를 지키고 싶은 간절함이었다. 지금은 많은 경험들로 어쩔 수 없이 부탁을 거절하셨던 교수님의 마음을 이해할 수도 있다.

그 당시 나는 친구보다 아주 조금 잘 사는 사람이었다.

나는 그 마음을 지키고 싶었다.

소중한 사람을 위해 평소 나답지 않게 행동했던 마음을 찾고 싶었다. '내 가족' 이외에는 관심 두지 않으려 눈을 감기도 하는 지금,

데워지지 않는 한기가 있다.

—

애정하는 드라마가 있다. '나의 아저씨'다. 드라마는 무거웠다.
어두운 무게를 안고 이어지는 영상 속에는 외면해 온 사람, 그곳에
홀로 두고 온 사람이 있다.

지금, 이 순간에도 수없이 많은 곳에서 '나의 아저씨' 같은 어른을
필요로 하는 사람이 있다. 나 역시 그런 '어른'을 간절히 원했던 시기가
있었기에 나 살기 바쁜 지금이 불편하곤 하다.

내 한기는 여기에서 스미고 있었다.

모두 행복하길 바라는 마음은 서로를 감싸준다. 그 많은 마음이
촘촘히 이어지면 그 안의 슬픔이 녹는다.

어른이 되고 싶어졌다.

진짜 어른.

나만 지켜내느라 동동거리는 어른 말고 진짜 아픈 아이를 끝없이
지켜내고 바라봐 줄 수 있는 어른 말이다. 많은 이들이 이 드라마를
보고 '진짜 어른'이 되려 팔을 걷어붙이고 나오면 좋겠다. 나 하나만
잘 살려는 마음에서 벗어나 함께 잘살아 보려는 마음을 이었으면

한다.

작은 친절들이 모이고 모여 만들어 내는 이야기

극중 지안이 말한다.
"잘사는 사람들은 좋은 사람 되기 쉬워."

나는 바란다.
잘 사는 사람이 좋은 사람이 아닌
좋은 사람이 잘 사는 세상을_

쏟아내다

'엄마~ 토하기 싫어~ 무서워~'

일곱 살 아들은 작은 배 안에서 거세게 밀어 올려지는 것에 겁을
먹었다. 거대한 태풍이 몰아치듯 아이를 훑고 지나간 불쾌함은 입과
코로 쏟아져 나왔다. 아이는 구토를 멈추어 엄마를 안고 싶지만,
제 몸이 마음과 달리 요동친다. 모든 것을 쏟아내고야 새하얗게
질린 얼굴로 품에 안긴다.

'괜찮아... 괜찮아... 잘했어...'
아이의 등을 토닥이며 쓸어내렸다.

'엄마는 왜 자꾸 괜찮다고만 해...?'
축 처진 몸과 그사이 작아진 얼굴로 힘을 끌어모아 아이가 물었다.

'괜찮기를 바라니까...'
말을 꺼내고 나니 새삼 이 작은 존재가 더욱 소중해 안고 있던 팔에
힘이 들어갔다.

'엄마... 그런데 왜 토하는 게 좋은 거야...?'
아이는 토하면 괜찮아질 거라는 엄마의 응원이 궁금했던 모양이다.

'몸 안에 나쁜 것들이 빠져나오니까.'
아이는 그런가 보다 하는 나른한 표정으로 잠이 들었다.
잠든 아이를 보며 아이에게 건넨 마지막 말이 맴돌았다.

나쁜 것들을 쏟아내고 나를 지켜내는 일이 아이가 토한 후, 속을
편하게 하는 것과 다를 바 없음이었구나!

아이는 변기에 대고 나쁜 것들을 쏟아냈다.
나는 나를 아프게 하는 것들을 어디에 대고 쏟아내고 있나 생각하다
이렇게 자리에 앉았다. 나는 종이에 토하고 있었다. 종이에 쏟아진
검은 토사물.

이상하게 역하지 않다.

검게 쓰인 나쁜 것들을 토닥인다.

'괜찮아... 괜찮아... 잘했어...'

Give(기부)

알지 못해 못한 일이 있습니다.
거창하지 못해 피했습니다.

'아무나' 가 아니라
'누구나' 가능하다는 걸 알았습니다.

기부를 하면
기부니 좋습니다.
가진 게 없다 여겼는데
줄게 있다는 걸 알았습니다.

당신을 위한 줄 알았는데
저를 위한 일이었습니다.

고작 만 삼천 원이지만
만 삼천 개의 씨앗이라 생각하니
거창합니다.

이 작은 안녕이
그곳에 닿아 안녕을 피우면 좋겠습니다.
〈학대아동 후원 등록하던 날〉

시 간

붙어있던 글자를 떼어놓고
붙어있던 아이를 떼어놓고
붙어있던 너와 나를 떼어놓으니
사이가 생긴다.

사이에는 바람이 통하는 길을 터놓아야 한다더니
그 사이로 바람이 지나는 소리가 들린다.

때로는 소리 없이
때로는 구슬피
때로는 살랑이며
머무는 법이 없다.

맞춤법과 띄어쓰기
약속된 기호들을 이탈하면
오해를 불러오고

사이를 밀어내고
외로운 땅에 홀로 선다.

익히지 못한 언어의 품격은
오른쪽 바지 뒷주머니에
서툰 글자들의 방황은
왼쪽 바지 뒷주머니에 넣고서
털썩 다리를 끌어모아 앉아
지는 해를 본다.

저기 누가 온다.
오른쪽 바지 뒷주머니가 들썩인다.
허리에 힘을 줘 내리누른다.

믿을 거라곤
말 없는 눈빛뿐이다.
눈빛을 기억해뒀다
왼쪽 바지 뒷주머니에서
서툰 글자나 꺼내 끄적이련다.

누구를 위해 누군가

추운 날씨보다 더 차가운 마음을 가진 여자가 어두워진 밤길을 걷는다.
여자는 학비 마련을 위해 겨울 방학 동안 아는 언니 집에 머물며
아르바이트하기로 했다.

스물네 살 그녀는 아르바이트하는 호프집 앞에서 마음을 가다듬고
문을 열고 들어섰다.

"안녕하세요~!"

밝고 경쾌한 목소리로 인사를 건넸다. 다행히 그녀는 몸에 밴 친절과
성실로 사장의 신임을 얻었고, 함께 일하는 사람들 모두 그녀를
친근하게 느꼈다. 호프집은 아파트 단지 근처에 위치해 대부분의
손님은 가족 단위로 일은 그다지 힘들지 않았다.

어느 날 두 아이를 데리고 부부가 호프집을 찾았다. 아이들은 안주
중에서 간식이 될 만한 소시지를 주문해서 재잘대며 먹었고, 그 모습을
바라보며 부부는 시원한 생맥주잔을 부딪쳤다. 여자는 그 모습이
너무 예뻐 한참을 바라보다 자신은 부모님과 한 번도 외식해본 적이
없다는 사실을 떠올렸다. 가족 손님을 바라보는 여자 입가에 씁쓸한
미소가 스쳤다.

그때였다.

함께 일하던 직원 한 명이 갑자기 소리를 지르며 뛰쳐나갔다.
눈이었다. 직원은 내리는 눈을 맞으며 온몸으로 웃어 보였다.
여자도 따라 나가 하늘을 올려다보았다. 여자의 얼굴에 눈이 닿을
때마다, 쓰라렸던 마음이 희미해져 갔다.

방학이 끝날 무렵, 조촐한 환송회 자리가 마련되었다. 아쉬운 마음을
나누어 가지며 작별을 고할 때, 동료가 선물이 든 쇼핑백 하나를
건넸다.

자정이 지난 시간 겨울밤은 더 깊게 짙어 있었다. 짙은 밤으로 걸어
들어가며 여자는 쇼핑백에서 선물을 꺼내 들었다. 김용택이 사랑하는
시 '시가 내게로 왔다'라는 시집이었다.

여자는 가던 길을 멈추고 아무 페이지나 펼쳐 들었다.

이 세상의 어디에는
부서지는 괴로움도 있다 하니,
너는 그러한 데를 따라가 보았느냐.
물에는 물소리가 가듯
네가 자라서 부끄러우며 울 때,
나는 네 부끄러움 속에 있고 싶었네.
아무리 세상에는 찾다 찾다 없이도
너를 만난다고 눈 멀며 쏘아다녔네.

늦봄에 날 것이야 다 돋아나고
무엇이 땅속에 남아 괴로워할까.
저 야마천에는 풀 한 포기라도 돋아나 있는지,
이 세상의 어디를 다 돌아다니다가
해 지면 돌아오는 네 울음이요.
울 밑에 풀 한 포기 나 있는 것을 만나도
나는 눈물이 나네.

〈시가 내게로 왔다 중 누이에게_고은 38P〉

겨울밤의 감성 때문인지 시 때문인지 여자는 아무도 없는 겨울
눈길 위에서 울컥 눈물을 쏟았다.

시집은 이해하기 쉽게 친절하지 않았지만, 그 안에는 수많은 시인들의
눈물이 응축되어 있었다. '소리 죽은 것들의 울음' 그 울음은 여자에게
주는 위로였다.

여자는 차가운 가슴을 데워준 시를 만난 후, 시를 사랑하게 되었다.
그리고 자신 역시 위로를 주는 시를 쓰고 싶어졌다.

여자가 지나온 추운 겨울과 어두운 밤을 가로등에 걸어 밝히고 싶다.

해지면 돌아오는 누군가의 눈물 앞을_

쓰다

쓰라리다
쓰인다
쓰이다

그저 쓰고 있을 뿐인데
마음 쓰인 것들이
밀려들어
쓰라린다

나를 쓰는데
네가 마음 쓰여
또 쓴다

"쓰면서 알았습니다
사는 게 마냥
쓰지만 않다는 걸"

누군가가
마음 쓰여
쓰는 사람이 있기에
제법 달달합니다.

쓰다보니

롤러스케이트는 못 타봤어도
외로움 좀 타봤던 1인으로

봉천동 옥탑방에 출몰한 바퀴벌레가
천장을 제집처럼 누빌 때
술에 취해 거리감 상실한 눈빛으로
벽에 기대앉아
녀석을 지켜봤다.

인기척을 했는데도
나를 느끼지 못한 채 움직이는 녀석이
괘씸했다.
아니,
징그럽다며 소리 지르지 않는
내가 괘씸했다.

드라마였다면 우울한 BGM이라도
깔아줬으련만

백열등의 미세한 전기 음만 깔렸다.

지독하게 붙어살던 녀석과의 동거는
우리만의 규칙으로 서로를 보호했다.

나는 요란하게 귀가를 알리며
숨을 시간을 벌어줬고,
녀석은 내가 머무는 동안 나타나지 않는 조건.

녀석에겐 알려주진 않았지만
곳곳에 해충 약을 뒀다.
그런데도 튼실한 걸 보니
어쩌면 녀석은 내가 흘린
외로움을 먹고살았는지 모른다.

외로울 땐 읽지 말고 쓰라고 한다.
그래서 읽지 않고
쓴다.

곁들이는 소주는 달다.
낡아 빠진 지난 이야기를 쓴다.

6

부

나

는

당

신

이

생

각

하

는

만

큼

|

난독

읽을 줄 아는데 못 읽는 척했어
잘난 척 같아
재수 없어 보일까 봐

읽을 줄 알면서 왜 안 읽었어?

읽어달란 사람이 없었어
읽어주고 싶은 사람이 없었어
들으려는 사람이 없었어

아니야
나는 네가 소리 내길 기다리고 있었어
같이 읽을래?
한번 들어볼래?

페이지를 먼저 읽은 나는
네 눈이 페이지 끝에 닿는 순간을 기다려
네가 눈치채지 못하도록 눈은 페이지 중간에 두고

너의 호흡이 느려질 때 슬며시 페이지를 넘겨
너는 빠르게 읽으려 하고
나는 느리게 읽으려 해
우린 박자를 맞추려
혼자일 때와 다른 호흡을 하고 있던 거야

서로 빨리 읽으려 숨을 죽이지 않았지
누구도 죽지 않은 거야
그게 좋았어 그게 좋았던 거야
휘청이는 호흡의 헤드뱅잉

난 독한 마음을 읽고
넌 독한 마음을 해독해

우리는 그리하여 이러한 거야
우리는 말미암아 여기에
바람 새어 웃게 된 거야

바람을 먹으며 웃을 순 없잖아
바람은 내쉬어야 웃을 수 있거든
바람 빠진 풍선이 날아오른 듯 말이야.

막장

너는 에세이야?
아님 소설?
그것도 아니면 시?
도대체 장르가 뭐야?

장르가 뭔데?
소설이 뭔데?
에세이랑 시는?
너는 뭐고
나는 뭔데?

그냥 사는 이야기잖아
개미 몸 연구하듯
머리가슴 배로
나눌 필요가 있을까?

그게 무엇이든

우리가 느끼는 건
가슴 하나잖아

    팬찮다면
           '장르 없음'
                  어때?

못이긴 척

시간은 아침인데
아무래도 이상하다.

어둑한 창밖은 아직 하루를
열 생각이 없어 보이건만
시계는 소리 없이 채근한다.

출근 준비를 위해 거울 앞에 선다.
뜨겁게 달궈진 고데기로
갈길 잃은 머리칼을 편다.
너에게는 고문이겠으나
나에게는 품위다.

거울 앞에서 나만 알 수 있는 만족감으로
치장을 마무리하고
문을 나서다 비가 오는 걸 보고
재빨리 우산을 챙긴다.

다른 곳은 젖더라도 머리만은 사수하리라.

그렇게 지켜냈건만
빗물을 머금은 바람이
제 멋대로 흐트러 놓은 머리칼

곱슬머리를 가진자만이 알 수 있는
곱슬머리의 민낯

—

알고 있다.
궂은날
곱슬을 피하는 방법을

모자를 쓰거나
미용실에서 매직을 하거나
자유롭게 드러내거나

감추려는 것들은 어느 날 갑자기
예기치 않은 상황에 떠오른다.

이 세련되지 못한 부스스함은
숨길수록 얇아지고
속일수록 뚝뚝 끊어진다.

그런 날일지도 모른다.
애를 썼는데도 어이없이 다시 처음이 돼버린 날

기껏 펴놓은 머리칼이 비로 인해
길 잃은 머리칼로 돼버린 날

못 이긴 척
나를 이야기하기 좋은 날일지도_

초대장

그런 노래가 있다.

답하고 싶은_

지인 부모님 부고 소식이 부쩍 늘어났다.

내게 장례는 지인과의 친분에 따라 조의금만 내느냐 조문을 가느냐가
다르다. 상심이 클 지인을 염려하면서도 조문에 참석할 검은색 옷이
있나 머릿속에 떠올려야 했다. 고인을 향한 연민보다는 지인과의
의리가 앞섰다.

장례식장에 도착하면 수척해진 지인이 안타까워 눈시울을 붉히다
짧은 위로의 말과 가벼운 포옹을 나눈다. 먼저 자리 잡은 일행과
식사하며, 고인을 애도하고, 지인이 마음을 잘 추스르기를 위로한다.

오랜만에 모인 사람들과 술 한잔하며 이야기 나누느라 북적거리는
장례식장은 시끄러워야 망자가 이승에 미련을 남기지 않고 마음
편히 떠난다고 한다. 하지만 아무리 생각해도 나는 나를 모르는
이들이 모여 앉아 저들끼리 이야기 나누다 가는 걸 보면 외로울
것 같아 떫은 마음에 로비로 나갔다.

가을도 아닌데 어디서 이 많은 국화꽃은 피어나는 걸까. 나는 좋아하는 국화꽃으로 만들어진 화환들을 바라보고 섰다. 내가 알만할 정도의 회사명을 두른 화환을 중심으로 국화꽃 축제를 연상시켰다. 그 곁을 지나던 사람이 멈춰서 화환에 걸린 회사, 동호회 이름을 둘러보며 말하길

"와! 이 집 자식은 출세했네!"

나는 뒤를 돌아 이름 모를 고인들의 장례 모습을 바라봤다. 화환이 넘쳐나 두 줄로 세워야 하는 곳이 있는가 하면 넓게 펼쳐도 채워지지 않은 빈 공간으로 고인의 삶과 자식의 경제적 위치가 보기 쉽게 펼쳐져있었다. 국화꽃이 죄가 아니련만, 지나가는 이가 남긴 말로 국화꽃은 출세한 자식의 우쭐한 권력이 되었다.

그 후로 찾은 장례식장들도 별반 다르지 않았다. 리무진으로 고인을 모시느냐 그렇지 않으냐에 따라 효의 크기를 입증하듯이 집착하는 언쟁이 오갔다. 나는 장례에 참여하면 할수록 누구를 위한 시간인지 혼란스러웠고, 마치 내가 고인인 것처럼 화가 났다.

태어날 때는 아무런 준비를 못 하지만 죽음은 다르다고 생각한다.

영화 '헤이즐'은 죽음을 앞두고 살아있는 순간, 떠나는 이와 남겨진 이들이 서로에게 꼭 전해야 하는 메시지들로 슬펐던 영화지만 아름다웠다. 영화에 심취한 나는 남편을 향해 내가 꿈꾸는 장례를 재잘거렸다.

'나는 가족과 친구만 함께했으면 좋겠어. 내가 좋아하던 음악이
흐르고, 즐겨 읽던 책과 사진첩을 보면서 함께했던 순간들을
추억하면 좋을 것 같아.'

<< 초대장 >>

바램이 바람이 되었습니다.

함께 모여 옛이야기 나누며

웃고 울다 가세요.

준비물: 함께 했던 추억

복   장: 자신만의 아름다움

자신의 장례식을 떠올리면 내가 어떻게 살아야 하는지 알 수 있다고
한다. 어쩌면 누군가의 죽음은 살아남은 이에게 생의 중요함을
일깨워주는 가르침인지도 모른다.

우리가 무엇을 찾아 이 세상에 왔는지_

그 대답을 찾아가며 후회 없는 세월을 보내라는 신해철의 노래에
답하는 오늘을 살아가는 게

언제 마주칠지 모를 생의 마지막을 준비할 수 있는 우리의
특권이지 않을까_

Na

우리는 서로를 위하는 듯 보이지만
그 모든 순간
자신을 위하고 있다.

나도 모르게 나 자신을
무척 사랑하고 싶어한다.

다만
부끄러워
방법을 몰라
네 눈에 비친 나를
연민하고 만다.

사랑받고 싶은
사랑하고 싶은
'나'라는 존재들

고삐

'아무 일도 일어나지 않았어.'

무대에서 뿜어져 나온 음이 가는 줄이 되어 나를 포박했다.

심장이 압박을 못 이겨 터질 것 같은 순간 눈이 먼저 터져버렸다.
지인에게 받은 티켓으로 처음 접한 오케스트라 연주회에서다.

'아... 창피해... 나 말고 다른 사람도 울겠지?'

나는 경이로운 순간에 부끄러워하며 아무렇지 않은 표정으로
돌아가려 애썼다. TV 음악 프로그램을 보다보면 노래 들으며
눈물짓는 관객을 비춰준다.

'무슨 사연이 있길래 저 사람은 눈물을 흘릴까.'

궁금하곤 했는데, 무언가에 온전히 매료되어 내 안의 것이 나오는
희열을 그제야 조금 이해할 수 있었다.

바람이 일어 꽃을 깨우고, 두드리는 음악을 만나면 내 안에 야생마가
질주해 어쩔 줄 몰라 했다. 당근, 채찍을 주더라도 금세 허기지고
말아 동동거리는 그 발걸음을 알아주지 못했다. 미치지 않고서야

'내 안에 말이 달음질하고 싶어 한다.' 누구에게 말한단 말인가_

그저 진정되길 바라며 멍을 응시할 수밖에_

이 말의 고삐는 누가 쥐고 있을까?

그 고삐를 배우자, 연인, 자녀, 부모에게 맡겨두었다면 내가 가는
곳과 내 안에서 걷고자 하는 길이 일치할까? 갈팡질팡한 마음이
고달파 그냥 누군가에 이끌려가는 편이 낫지 않을까 싶어 이 '고삐'를
책임져 줄 적임자를 찾고 있진 않았나.

—

어린 시절 서울로 장사를 가신 엄마와 자신의 시간을 채우려는
아빠를 대신해 소를 도맡았다.

나는 소의 고삐를 쥐었다.

오후 2시가 되면 작은 가방에 리코더, 노트, 연필을 챙겨 소와
함께 들로 나갔다. 고삐를 잡고 그 뒤를 따르는 나는 원하는 곳으로
소를 이끌 수 있었다. 항상 가던 곳은 풀이 자랄 새 없어 다른 곳을
찾아야 하는 날이 많았다. 다른 소와 겹쳐서도 안 됐다. 풀을 먹는
동안 조바심, 다툼이 없어야 고삐를 책임진 내가 편하기 때문이었다.

새로운 곳을 향하는 날은 고삐에 힘이 들어갔다.

좌회전, 우회전 깜빡이는 고삐를 왼쪽, 오른쪽으로 옮겨가며 조절한다.

브레이크 기능은 고삐로 소의 몸통을 쪼개듯 잘게 쳐준다.

'워~워~' '잘잘잘.'

먼저 좋은 자리를 차지하기 위한 바쁜 걸음에는 '이랴~ 이랴~'

어린 소녀가 하는 짧은 언어와 고삐가 이끄는 방향을 따라 소는
나아갔다. 소가 풀을 먹으면 나는 자리 잡고 리코더를 불렀다.
날뛰지 않았던 걸 보면 먹느라 정신이 없었던 모양이다.

고삐를 맡긴 소.

서로에게 주어진 임무 안에서 우리는 연대감을 느꼈다. 송아지를
낳으면 기뻐했고, 팔려 가는 날은 함께 울었다. 그 시절 아이 잃은
어미의 심정을 지금만큼 알았더라면 더 크게 울어줄 걸 그랬다.

너는 내가 쥔 고삐가 행복이었을까_
내가 이끄는 곳이 만족스러웠을까_
고삐를 놓아도 집으로 발걸음하던 너는 어떤 마음이었을까_

지금에서야 새삼 '고삐'를 떠올리다 너와 나를 생각하는 이 순간.
남에게 맡겨진 고삐가 주는 안도감과 뒤늦게 찾아드는 허탈감을
알고서 너의 고운 눈망울이 떠올랐다. 속눈썹 파마 따위 필요 없던,
원조 서클렌즈를 끼운 너의 눈 안에 비치던 내 유년 시절이 떠오르면서
다시 한 번 나는 줄곧 혼자가 아니었음을 안다.

나는 누군가에게 그렇게 맑은 거울이 되어준 적이 있었을까?

집 안에 있던 소가 다 팔려나가고 내게 쥐어진 고삐도 사라졌다. 내 손에 남겨진 이 고삐는 주인 잃은 소처럼 하염없이 떠돌지 않도록 잘 쥐어본다.

급할 땐 이랴 이랴. 빠르다 싶을 때는 워~워~.

쉬어야 할 때는 고삐를 잡은 손에 힘을 뺀다. 맘껏 즐긴 것들로 오늘 밤 맛나게 되새김질 해야지.

—

끝없이 변화되는 맛.

변화는 새로운 것이 우연히 오는 게 아니라 내 안의 고삐가 이끄는 곳으로의 여행일지 모른다.

한 손에 고삐를 쥐고서 다음 열차를 기다린다.

지금이 _ 딱

뜨거운 건 혓바닥이 데일까 조심스럽고
차가운 건 탈 날까 조심스럽다

그렇다면
미지근한 걸 좋아하느냐?

아니다_

커피는 뜨거운 물에 녹여야 제 맛이 나고
아이스커피는 얼음이 많아야 제 맛이다.

제 맛을 갖춘 시기
나는 그 시기를 살짝 지난 맛을 즐긴다.

보는 것도 먹는 것도 한 김 식은 상태
한 김 식은 내 열정
그럼 지금이 제일 맛깔나는 시기라야 하는데

어째 한참 식다못해 쉬어버린 기분이다.

나이만 먹는다고 성숙한 어른이 아니라는 것쯤은 안다.
어떤 시간을 지나고 살아왔다는 건 되돌아 그 시간 속 의미를
찾아 떠나야한다는 것도_

—

초등학교 소풍날이면 점심 먹고 늘 하던 '보물 찾기'
우르르 달려 나가는 아이들 사이에서
나는 몇 걸음만 뗀 채 눈으로만 보물을 쫓았다.

'찾았다!!'   '찾았다!!'

여기저기서 찾았다는 소리가 들리고 심지어 여러 개 찾아낸
아이들도 있었다. 보물을 쥔 아이에게 모여드는 행렬에 끼지도
못했다. 원하기는 했으나 절실하지 않았다. 어쩌면 내겐 보물이
아니지 않았을까라고 말해보지만 자신이 없었다.

눈으로만 세상을 읽으려던 자세_
책으로만 세상을 이해하고 이해받으려 하는 자세와 닮아있다.
이해만 받고 앉아 있으면 시간 속에 갇힌다는 걸 몰랐다.

절여진 시간이었다.

오래 절이면 짜지다가 결국 숨이 죽는다.
뚜껑 열고 꺼낼 시간이다.

짭짤한 지금이 **딱**이다.

개천

홀로 피어남에 외로워말고
홀로 아픔에 자멸하지 말며
찾아든 이 없다하여
찾아갈 이 없다하여
존재 자체가 부정되지 않길
개울에서 짙게 깊어진
매섭고 질긴
도도함 안에 흐르는
생의 간절함이
저 풀 한 포기처럼 피어나길_

안녕

'안녕'

안녕은 유년시절 부모님이 알려준 사회와 나누는 첫 언어였다.
어느 곳에서나 '안녕하세요!' '안녕히 계세요!'라며 인사를 나눴다.
그 인사로 낯선 이들과 점차 안녕을 바라는 관계로 커져 나갔다.
나도 모르게 많이 쓰고 있는 '안녕'이라는 언어는 그동안 나를
지켜주고 이어준 선물이었다. 나는 내 아이들에게도 안녕이라는
단어를 심어주고 있다.

'안녕'이라는 말은 만남의 처음부터 마지막을 채우고도 모자라
보이지 않는 곳에서 서로의 안위를 바라는 마음까지 품고 있다.

오늘도 무심코 마음에 드는 펜 하나를 집어 들고 끄적이다가 나도
모르게 '안녕'을 썼다.

아무래도 난 당신이 안녕하길 바라나 보다.

플라잉

신나게 날았어
투명 창이 앞에 있는 줄도 모르고
머리를 박고 떨어지는 새처럼
쉼 없이 고꾸라졌지

새는 몰랐지만 나는 알았어
창이 있다는 걸
알았다고 말하면 우스워질까 봐
창을 못 봤다고 했지

몇 번의 부딪힘은
그 앞을 피하게 만들더라

그래도
또 날아가 부딪혔어

혹시 또 모르는 일이잖아
수없이 비행하고 부딪히다 보면
대머리 독수리가 될지도...

내가 떨군 털들은 긁어모아
겨울 패딩을 만들면 그만이야

그러니 오늘도
신나게 고꾸라지러 갈게_

나는 당신이 생각하는 만큼 좋은 사람이 아닙니다

나는 당신이 생각하는 만큼 좋은 사람이 아닙니다.
당신이 생각하는 나는 진짜 나보다 더 좋은 사람입니다.
저는 그 사람을 쫓느라 숨이 차올라 헐떡입니다.

하

여

나는 당신이 생각하는 그 좋은 사람을 험담합니다.
당신이 생각하는 나는 그리 좋은 사람이 아닙니다.
저는 기껏 좋아진 나를 겸손에 앉히려다 다리가 풀립니다.

허

나

나는 당신이 생각하는 좋은 사람이고 싶습니다.
당신이 생각하는 나는 그런 사람입니다.

저는 되고 싶습니다. 그 사람이

결

국

나는 당신 생각보다 내게 더 좋은 사람이고 싶습니다.
저는 나를 쫓는 대신 내게 이르렵니다.
말 몇 개 순서를 바꾸고서야 숨을 쉽니다.

나는 내가 생각하는 만큼 좋은 사람이고 싶습니다.

나 _ 섬

섬에 살았고
섬이 싫었다
섬은 좁았고
섬에 갇혔다

섬을
나섰다

나섬
'나라는 섬'

고요한 섬이고 싶어 했지만 고립된 섬을 원하진 않았다.
4차선 도로를 연결해 버리면 육지화

섬이고자 했던 건 밤낮 상관없이 불쑥 들이치는 헤드라이트에
눈을 뜰 수 없어서다

어 쩌 다
섬이고 싶어진 걸까_

누군가는 섬이 되고 싶고, 누군가는 섬을 벗어나고 싶다.
이들의 섬은 같은 곳일까?

나는 섬을 도망치길 유보하고
나섰다.

나섬.
진짜 섬을 떠나 '나라는 섬'으로_

—

각자 자신을 향해 나선 불안한 눈빛의 나섬 들을 만났다.
바닷바람 앞에서 곧 꺼질지 모를 불빛을 지켜낸 그들의 눈빛이
바다를 사이에 두고 빛났다.

서로의 불완전한 빛이 의지가 되었다.
나서야 찾아지는 것들이 있었다.

나   너

우리

오늘

지금

Play list

그때 그 아인 (그때 그 아인 - 김필)
바다+ㄱ (아이와 나의 바다 - 아이유)
할 말이 많은 아이 (나는 볼 수 없던 이야기 - 잔나비)
고독이라 쓰고 (겨울.. 그다음 봄 - 로시)
바람이 분다 (바람이 분다 - 이소라)
그 남자, 그 여자 (인생 - 엠씨 스나이퍼, 가족사진 - 김진호)
겁으로 지은 집 (Going Home - 김윤아)
줄 (흩어진 꿈을 모아서 - 이승윤)
_것들 (수고했어, 오늘도 - 옥상달빛)
_괜찮냐는 (그럴때마다 - 백예린)
숨 (한숨 - 이하이)
잿빛 (위로 - 권진아)
무엇이 되는 것만이 (꿈과 책과 힘과 벽 - 잔나비)
소(우)주 (소우주 - 이승윤)
좋은 사람이 잘 사는 세상 (어른 - 손디아)
누구를 위해 누군가 (Love Poem - 아이유)
초대장 (우리 앞의 생이 끝나갈 때 - 신해철)
나는 당신이 생각하는 만큼 좋은 사람이 아닙니다
(나의 사춘기 - 볼빨간 사춘기)
나_섬 (들려주고 싶었던 - 이승윤)

책 속 귀한 글귀

모래알만한 진실이라도 263p / 박완서 / 세계사
시가 내게로 왔다 38p / 김용택 / 마음산책
보통의 언어들 21p / 김이나 / 위즈덤하우스